KA

Née à Chicago, Kathy Reichs est anthropologue et fait partie des quatre-vingt-huit anthropologues judiciaires certifiés par l'American Board of Forensic Anthropology et collabore fréquemment avec le FBI et le Pentagone. Elle s'impose dès son premier roman, *Déjà dead* (1998, récompensé par le prix Ellis), dans lequel apparaît pour la première fois son héroïne Temperance Brennan, également anthropologue judiciaire. Depuis, elle a notamment publié, aux éditions Robert Laffont, *À tombeau ouvert* (2006), *Meurtres à la carte* (2007), *Terreur à Tracadie* (2008), *Les os du diable* (2009), *L'os manquant* (2010), *La trace de l'Araignée* (2011), Substance secrète (2012), *Perdre le Nord* (2013), *Terrible trafic* (2014) et *Macabre retour* (2015). Elle écrit également une série de romans avec son fils Brendan Reichs. *Viral* (Oh! Éditions, 2010), *Crise* (Oh! Éditions, 2011), *Code* (XO Éditions, 2013) et *Risque* (XO Éditions, 2015), les quatre premiers tomes, mettent en scène Victoria Brennan, la nièce de la célèbre Temperance Brennan. Kathy Reichs participe à l'écriture du scénario de *Bones*, adaptation des aventures de Temperance Brennan pour la télévision, dont elle est aussi productrice.

Suivez Kathy Reichs sur :
www.facebook.com/kathyreichsbooks
www.twitter.com/KathyReichs
www.kathyreichs.com
 LaffontCanada

TERRIBLE TRAFIC

DU MÊME AUTEUR
CHEZ POCKET

KATHY REICHS

TERRIBLE TRAFIC

Traduit de l'américain
par Viviane Mikhalkov et Dominique Haas

ROBERT LAFFONT

Titre original :
BONES OF THE LOST

Publié avec l'accord de Scribner/Simon & Schuster, New York.

© 2013, Temperance Brennan L.P.,
© 2014, Éditions Robert Laffont S.A., Paris,
pour la traduction française
ISBN 978-2-266-27000-7

À Susan Moldow,

Éditrice avisée,
amoureuse des chats,
et merveilleuse amie

PROLOGUE

Le cœur battant, j'ai rampé en direction du mur de briques qui formait l'angle du renfoncement. J'ai jeté un coup d'œil hésitant.

À nouveau, des bruits de pas. De lourdes bottes sont apparues en haut de l'escalier, accompagnées de deux petits pieds, l'un nu, l'autre chaussé d'un soulier à semelle compensée. Et la descente a commencé.

Par leur démarche bancale, les petits pieds révélaient la faiblesse de leur propriétaire, ce que confirmait la bizarre inclinaison du bas de ses jambes. Manifestement, ses genoux n'étaient pas en mesure de supporter le poids de son corps.

Une flambée de colère m'a embrasée. Cette femme était droguée, et ce salaud l'entraînait sans ménagement.

Quatre marches plus bas, le couple est passé dans un rayon de lune. La femme, en vérité une toute jeune fille, avait des cheveux longs et des membres squelettiques. L'homme la tenait fermement par le cou. De lui, je n'ai distingué que le triangle blanc d'un t-shirt sous son menton et la crosse d'un pistolet au-dessus de la ceinture de son pantalon.

Le couple est retombé dans l'obscurité et, de ces deux corps serrés l'un contre l'autre, je n'ai plus vu qu'une silhouette à deux têtes.

Arrivé à la dernière marche, l'homme s'est mis à tirer et à pousser la fille vers la porte qui donnait sur le quai de chargement. Elle a vacillé et sa tête s'est mise à balloter comme si elle était montée sur ressort. D'un mouvement brutal, l'homme l'a redressée sur ses jambes.

La fille a refait quelques pas incertains, puis elle s'est raidie, elle a relevé le menton et un cri a rompu le silence. Un cri strident, animal.

Le bras de l'homme a jailli. La silhouette féminine s'est à nouveau figée. Un autre cri m'est parvenu, de douleur cette fois, et la fille s'est affaissée mollement sur le béton.

L'homme, un genou en terre, s'est alors déchaîné sur le petit corps inerte, le coude transformé en piston.

— Ah, tu résistes, salope ?

Son poing s'abattait en cadence. Les coups pleuvaient à un rythme tel qu'il s'est bientôt mis à haleter.

Une rage noire m'a envahie, m'a fait oublier tout instinct de conservation.

À quatre pattes, j'ai filé récupérer le Beretta en essayant de ne pas me faire remarquer. J'en ai vérifié la sécurité, bénissant le ciel d'avoir pris de bonnes habitudes au stand de tir.

Rassurée, j'ai voulu prendre mon téléphone dans ma poche. Il n'était pas avec ma lampe.

Pas non plus dans l'autre poche.

L'aurais-je laissé tomber ? Oublié à la maison dans ma précipitation ?

La panique m'a presque fait suffoquer. J'étais livrée à moi-même, coupée du monde. Que faire ?

Une petite voix me recommandait la prudence. Reste cachée. Attends. Slidell sait où tu es.

— Crois pas que tu vas t'en sortir !

Des accents cruels, haineux.

Je me suis retournée d'un bloc.

L'homme relevait la fille en la tirant par les cheveux.

J'ai jailli du renfoncement en brandissant le Beretta. Alerté par le bruit, l'homme s'est immobilisé. Je me suis arrêtée à cinq mètres de lui, à l'abri d'un pilier. Bien stable sur mes deux pieds, j'ai levé le canon.

— Lâche-la !

Le béton et la brique ont amplifié mon cri.

Le type a maintenu sa prise. Il me tournait le dos.

— Haut les mains !

Il a laissé tomber la fille et s'est redressé. Ses mains se sont lentement élevées à hauteur de ses oreilles.

— Retourne-toi.

Tandis qu'il obtempérait, un rai de lumière l'a éclairé l'espace d'une seconde, et j'ai pu distinguer ses traits.

S'apercevant qu'il était tenu en joue par une femme, l'homme a un peu baissé les bras. J'ai vivement reculé derrière le pilier, comprenant qu'il me voyait mieux que je ne le voyais moi-même.

— Elle a rien, la petite pute !

Tu vas crever aussi, espèce de salope.

— Menacer les gens par courriel, terroriser les petites filles sans défense, quel courage ! (D'une voix bien plus assurée que je ne l'étais en vérité.)

— Les dettes, ça se paye ! C'est la loi, tout le monde le sait.

— Tu peux oublier le remboursement des dettes, espèce d'enfant de chienne.

— Vraiment ? ! Et qui c'est qui le dit ?

— La douzaine de flics en route vers ici.

L'homme a levé une main en cornet près de son oreille.

— J'entends pas de sirènes.

— Écarte-toi de la fille.

Il a esquissé un pas sur le côté.

J'ai élevé le ton.

— Recule !

Son attitude arrogante me donnait envie de lui défoncer le crâne à coups de crosse.

— Sinon quoi ? Tu vas me descendre ?

— Exactement.

En serais-je seulement capable ? Je n'avais jamais tiré sur un être humain.

Où diable était passé Slidell ? L'effet conjugué de l'adrénaline et de tout le café ingurgité n'allait pas durer éternellement. Quant à ce type, il allait vite comprendre que je bluffais.

La fille a gémi.

J'ai baissé les yeux.

Un quart de seconde qui m'a fait perdre l'avantage, et donné à ce salaud sa seule chance de garder la vie sauve.

Il a eu le malheur de faire un geste brusque.

Une nouvelle giclée d'adrénaline a inondé mes veines.

J'ai levé mon arme.

Il a fait un pas en avant.

Mon regard s'est focalisé sur le triangle blanc de son t-shirt.

Le coup est parti.

Écho assourdissant. Le recul de l'arme m'a projeté les mains en l'air, mais j'ai su tenir la position.

L'homme, lui, s'est écroulé.

Dans la pénombre blafarde, j'ai vu le triangle blanc virer au noir. Ou plutôt au rouge. Un rouge cramoisi qui s'étalait partout. Un coup parfait. Le Triangle de la Mort.

Tout autour le silence s'est fait. Brisé seulement par ma respiration saccadée.

Mes centres nerveux supérieurs et mon tronc cérébral se sont remis à l'unisson et j'ai pris conscience de mon acte. J'avais tué un homme.

Mes mains ont été prises de tremblement. La bile m'a empli la gorge.

J'ai dégluti. Resserré les doigts autour du pistolet.

La fille gisait au sol, immobile. Je me suis précipitée vers elle et j'ai posé mes doigts tremblants sur sa gorge.

Une pulsion, oui. Faible mais régulière.

J'ai pivoté sur moi-même et intercepté le regard aveugle et maléfique de cet homme à jamais réduit au silence.

Subitement, l'épuisement et l'accablement se sont abattus sur moi, face à l'ignominie de ce que je venais d'accomplir.

Que faire maintenant ? Poursuivre mon action ? Mais, dans mon état, serais-je seulement capable de prendre les bonnes décisions ? Et mon téléphone qui était resté à la maison !

Je me serais bien assise par terre, la tête entre les mains, pour laisser couler mes larmes.

À la place, j'ai inspiré profondément, à plusieurs reprises. Quelque peu apaisée, je me suis relevée. J'ai traversé des kilomètres d'obscurité jusqu'à l'escalier que j'ai grimpé, les jambes en caoutchouc.

En haut des marches, un couloir. Rien d'autre.

Je l'ai suivi jusqu'à une unique porte. Fermée.

Le pistolet serré dans ma main moite, j'en ai tourné la poignée.

Et là, vision d'horreur.

PREMIÈRE PARTIE

Chapitre 1

La captivité, je connais. Pour avoir été retenue de force dans une cave, la chambre froide d'une morgue, une crypte sous terre. Et je connais la sensation qui va de pair, toujours la même : une terreur intense.

Toutefois, en matière de souffrance, ma situation présente surpassait tout ce que j'avais connu auparavant.

Le lieu de mon enfermement n'y était pour rien, car cette salle des jurés du tribunal du comté de Mecklenburg était tout à fait correcte, comparée à bien d'autres, avec sa connexion wifi, ses ordinateurs, ses tables, ses films et son popcorn.

J'aurais pu demander à être dispensée de cette corvée. Je ne l'avais pas fait. La Justice requérait mes services ? Je répondais présent. Brennan et son esprit civique ! Cela dit, je savais déjà que je ne ferais pas partie des jurés, en raison de ma profession.

Voilà pourquoi, au moment de planifier mon emploi du temps, je n'avais réservé qu'une heure, une heure et demie grand max, à cette audition. Histoire de ne pas avoir à courir le reste de la journée.

Courir, disais-je… Dans mon métier, les meilleures chaussures, ce sont les bottes de randonnée en Gore-Tex qui laissent le pied respirer. Ou encore celles en caoutchouc grâce auxquelles on ne risque pas de se retrouver le cul par terre inopinément.

En temps ordinaire, j'aurais aussi peu de chances d'acheter de sublimes talons hauts — je ne parle même pas d'en porter — que de tomber sur les restes d'un *Giganotosaurus* derrière le Bad Daddy's Burgers du coin de la rue. Mais c'était compter sans Harry, ma sœur du Texas, terre des cheveux longs et des talons aiguilles.

Quelques jours auparavant, elle avait quand même réussi à me convaincre d'acheter les Louboutin à talons de 8 cm que je portais aujourd'hui. Prenant la situation en main, comme elle sait le faire, elle m'avait déclaré :

— Tu auras l'air hyper pro. Et c'est donné : en solde à soixante pour cent !

Il fallait bien admettre que ce cuir doux comme du velours et ces finitions élégantissimes me chaussaient à ravir.

Quant à savoir si j'étais bien dedans… Tu parles ! Après trois heures passées à poireauter !

Lorsque l'huissier a fini par appeler notre groupe, c'est presque en chancelant que je suis entrée dans la salle d'audience et que j'ai pris place ensuite dans la tribune du jury, à l'appel de mon numéro.

— Veuillez décliner votre identité.

Chelsea Jett, le procureur. Pas dix minutes qu'elle était sortie de la faculté de droit, et elle avait déjà un tailleur à quatre cents dollars sur le dos, un précieux rang de perles autour du cou et des talons qui éclipsaient les miens. Nouvellement nommée à ce poste, elle dissimulait son manque d'assurance sous une brusquerie inutile.

— Temperance Daessee Brennan.

Autant lui tendre le calumet de paix.

— Veuillez indiquer votre adresse.

Je me suis exécutée.

— C'est à Sharon Hall, ai-je ajouté, histoire de me montrer aimable.

Il s'agit d'un manoir du XIXᵉ siècle, en brique rouge, avec des colonnes blanches et des magnolias. Plus vieux

Sud que ça, tu meurs. Mon appartement est situé dans l'annexe de la remise aux calèches. Mais j'ai gardé toute cette description pour moi.

— Depuis combien de temps résidez-vous à Charlotte ?

— Depuis l'âge de huit ans.

— Quelqu'un d'autre habite-t-il avec vous à cette adresse ?

— Ma fille qui est majeure y a habité, mais plus maintenant.

J'avais au poignet le bracelet que Katy m'avait offert, une fine gourmette en argent portant l'inscription MA MÈRE EST COOL.

— État civil ?

— Séparée.

Plus compliqué que ça, mais je ne me suis pas étendue.

— Vous travaillez ?

— Oui.

— Déclinez l'identité de votre employeur.

— L'État de Caroline du Nord. (Restons simple.)

— L'emploi que vous occupez ?

— Anthropologue judiciaire.

— Quel est le niveau d'études requis pour exercer cette fonction ? (Ton sec.)

— Un doctorat. Et je possède une certification du Bureau américain d'anthropologie judiciaire.

— Donc vous effectuez des autopsies.

— Pas exactement, mais l'erreur est fréquente. En fait, ce sont les médecins légistes qui pratiquent les autopsies.

Jett s'est raidie.

Je lui ai adressé un grand sourire. Elle est restée de marbre.

— Les anthropologues judiciaires, comme moi-même, s'occupent des cas où l'état du corps ne permet pas l'autopsie, soit parce qu'il est réduit à l'état de squelette ou momifié, soit parce qu'il est démembré, calciné ou mutilé, soit parce qu'il est parvenu à un stade de décomposition trop avancé. Nous sommes consultés sur quantités d'affaires qui, toutes, requièrent d'analyser des os. Par exemple, quand il s'agit de déterminer si nous sommes en présence de restes humains ou d'animaux.

— Et ça nécessite l'intervention d'un expert ? (Scepticisme latent.)

— Les os d'êtres humains et d'animaux sont parfois trompeusement similaires. (Je me suis représenté les ensembles momifiés qui m'attendaient au MCME.) Quand les restes sont réduits à l'état de fragments, il peut se révéler très difficile d'établir à qui ils appartiennent. À un seul individu ou à plusieurs, à un homme ou à un animal. Voire à un mélange des deux.

Vision mentale des paquets que j'aurais dû être en train d'analyser au lieu de perdre mon temps dans ce tribunal, les pieds gonflés comme ceux des noyés.

Jett a agité impatiemment sa main manucurée.

— Quand il s'agit de restes humains, je recherche les indices susceptibles d'apporter des renseignements sur l'individu : sur son âge, son sexe, sa race, sa taille, les maladies qu'il a contractées au cours de sa vie, les difformités ou les anomalies qui lui étaient propres. Bref, tout ce qui peut permettre d'établir son identité. J'analyse aussi les traumatismes qu'il a pu subir, en vue de déterminer les circonstances du décès. J'évalue le laps de temps écoulé depuis sa mort, en tenant compte du traitement dont le corps a pu faire l'objet *post mortem*.

Jett a levé un sourcil interrogateur.

— Décapitation, démembrement, enfouissement, immersion…

— Je pense que ça suffit.

Le regard de Jett s'est abaissé sur sa liste de questions. Longue, très longue, cette liste.

J'en ai profité pour jeter un coup d'œil discret à ma montre et aux malheureux qui attendaient encore de passer sur le grill. Si je portais un tailleur pantalon de lin grège et un col roulé en soie, c'est-à-dire une tenue qui me donnait l'air respectable que l'on est en droit d'attendre d'un représentant du Bureau du médecin examinateur du comté de Mecklenburg, ce n'était pas le cas de mes compagnons d'incarcération.

Une jeune femme, la plus sympathique du groupe, était carrément bras nus, en débardeur à col roulé, jeans et sandales. Pas glamour pour un sou, mais sûrement bien plus à l'aise que moi dans ses chaussures. Mes hauts talons étaient un véritable instrument de torture. Impossible de seulement remuer les orteils.

Mme Jett a pris une profonde inspiration. Quelle idée avait-elle derrière la tête ? Je n'ai pas attendu qu'elle me renseigne.

— Je suis également liée par un contrat avec l'université de Charlotte où j'enseigne l'anthropologie judiciaire dans un séminaire de troisième cycle, et avec le Bureau du médecin examinateur en chef de l'État, à Chapel Hill et ici, à Charlotte. En plus de cela, j'effectue en tant qu'experte des consultations pour le Laboratoire des sciences judiciaires et de médecine légale à Montréal. (Traduire : je suis très occupée. Je travaille pour la police, le FBI, l'armée, les coroners et les médecins légistes. Inutile de retenir mon nom : vous savez très bien que l'avocat de la défense s'opposera à ma nomination en tant que juré dans ce procès.)

— Vous voulez dire que vous travaillez sur une base régulière dans deux pays ?

— Oui, et ce n'est pas aussi bizarre qu'il y paraît. Les anthropologues judiciaires consultent dans la plupart des juridictions. Comme je l'ai déjà dit, mes collègues et moi-même sommes appelés à la rescousse uniquement dans les cas où il n'y a pas assez de tissus musculaires et conjonctifs pour pratiquer une autopsie, ou quand les restes…

— Je vois…

Jett a parcouru du doigt l'interminable liste gribouillée sur son bloc-notes.

J'ai décrispé, ou plutôt tenté de décrisper, mes infortunées phalanges.

— Dans le cadre de votre travail pour le bureau du médecin examinateur, êtes-vous en contact avec des policiers ?

Pas trop tôt, merci !

— Oui. Souvent.

— Avec des avocats de l'accusation ou de la défense ?

— Les deux. Et mon ex-mari est avocat. (Ex, si on veut.)

— Connaissez-vous personnellement l'une des parties prenantes dans ce litige, l'inculpé ou quelqu'un de sa famille, un des policiers chargés de l'enquête, un avocat ou un juge ?

— Oui.

Et j'ai été dispensée.

En boitillant, j'ai filé hors de la salle d'audience. Refusant de prêter l'oreille aux protestations de mes orteils, j'ai traversé le hall et franchi les doubles portes en verre du palais de justice. Arrivée ce matin avec dix minutes de retard à cette audience programmée pour huit heures, j'avais sauté sur la première place libre dans le stationnement du tribunal. Résultat, j'étais garée à des kilomètres de l'entrée. Autant dire à mi-chemin du Kansas.

Vacillant sur mes talons hauts, j'ai traversé une voie de circulation, contourné une rangée de véhicules et fini par découvrir ma Mazda coincée entre un énorme 4×4, côté conducteur, et une voiture qui me laissait encore moins d'espace, côté passager. Les glandes sudoripares en mode hyperactif, j'ai réussi à introduire fesses et poitrine entre les poignées et les rétroviseurs. Adieu, ma ravissante tenue en lin beige. On aurait dit maintenant que j'avais fait des roulades dans une décharge.

Je venais d'entrouvrir la portière juste ce qu'il fallait pour me faufiler au volant quand un tintement a signalé la chute d'un objet à mes pieds. Une personne raisonnable, c'est-à-dire chaussée de souliers confortables, se serait arrêtée pour voir de quoi il s'agissait. Mais je n'avais qu'une idée en tête : fuir cet endroit au plus vite, et je me concentrais sur la recherche à tâtons de mes clés de voiture, rangées dans la pochette intérieure de mon sac fermée par un zip.

À peine la clé dans le contact, je me suis penchée sur le côté pour retirer mes souliers. J'avais les pieds en feu.

On aurait cru que ma chaussure droite était greffée à ma chair. J'ai tiré plus fort. Mon pied a fini par exploser hors de sa gangue.

Manœuvre identique pour le pied gauche, avec force contorsions.

Calée contre mon dossier, j'ai repéré deux magnifiques ampoules sur mes orteils. Saletés de Louboutin, que je tenais encore dans ma main.

Ma main.

Mon poignet.

Mon poignet sans bracelet !

Katy.

Sentiment de panique aussi violent qu'un coup de poignard au cœur.

Du calme. Me ressaisir et me rappeler mes faits et gestes.

Ce bracelet, je l'avais sur moi dans la salle du jury. Et aussi à la barre.

Le tintement de tout à l'heure ! Un maillon avait dû se prendre dans quelque chose pendant que je me faufilais le long du 4×4.

Avec un juron bien senti, je me suis extraite de la voiture et, machinalement, en ai claqué la portière.

Le cerveau humain est comme un interrupteur qui se mettrait brusquement à fonctionner sur deux modes en même temps. Pile au moment où ma main, par réflexe, exécutait l'ordre de refermer la portière, une transmission neuronale à l'intérieur de mon cervelet m'apprenait, avant même que la serrure se soit enclenchée, que j'étais dans un sacré pétrin.

Shit.

Des yeux, j'ai fait un tour d'horizon des portières. Toutes fermées.

Ma main s'est levée vers mon épaule. Inutilement. Car mon sac reposait sur le siège passager.

Et les clés ?

Dans le contact.

Je suis restée un instant plantée sur place dans mon tailleur crasseux, le bas de mon pantalon frottant sur mes pieds nus, la sueur ruisselant de mes aisselles. Maigre consolation : j'avais atteint le maximum du pire. Rien de plus affreux ne pouvait m'arriver aujourd'hui.

Une musique est montée de la voiture : Andy Grammer chantant *Keep Your Head Up*. Garde la tête haute. Quelqu'un m'appelait sur mon iPhone. J'ai presque ri. Presque.

J'avais dit à Tim Larabee que je serais au labo avant midi. Je l'avais appelé du tribunal pour le prévenir que j'aurais une heure de retard. Il était deux heures à ma montre. Mon patron allait se demander ce qu'il en était de ces restes momifiés qui attendaient mon expertise au labo.

Mais peut-être que ce n'était pas Larabee.

Zut. Que faire maintenant ?

Existait-il un être sur terre à qui j'aie envie d'avouer que j'étais pieds nus dans un stationnement, enfermée à l'extérieur de ma voiture ? Réponse : non, personne.

Faut quand même garder la tête haute.

Très juste.

Autour de moi, un océan de bagnoles et pas une âme qui vive à l'horizon.

Briser la fenêtre ? Avec quoi ? Frustrée, je suis restée à fixer la vitre. Elle m'a répondu en me renvoyant l'image d'une femme en colère et mal coiffée. Brillant.

Brillant, en effet. Mon regard s'est concentré sur la vitre voisine qui ne s'emboîtait plus très bien dans le cadre. Une dent usée ou cassée dans le système de fermeture, d'après Jimmy, mon mécanicien. C'est dangereux, avait-il expliqué. L'espace est suffisant pour y introduire un fil de fer. Le temps que vous réalisiez qu'on vous a piqué votre voiture, le voleur sera déjà à mi-chemin de la Géorgie.

Vraiment, une Mazda vieille de dix ans ?

À quoi Jimmy avait rétorqué sur un ton solennel : les pièces détachées.

Un cintre, était-ce trop demander au ciel ? J'ai parcouru du regard les détritus qui s'amoncelaient dans le caniveau, à la jonction du sol et du mur. Du gravier, du papier cellophane, des cannettes en aluminium. Rien pour ouvrir une portière.

J'ai marché le long du mur en faisant bien attention à l'endroit où je posais les pieds. En bon petit soldat, j'allais de l'avant sans m'inquiéter de mon pantalon qui traînait sur le béton dégueulasse ni de mes ampoules qui ressemblaient à des petits bouts de steak haché posés sur mes orteils.

Et pendant ce temps-là, au labo, mes restes momifiés se racornissaient de plus en plus. Avec tout le temps que j'allais perdre encore, je n'arriverais jamais là-bas avant la fin de l'après-midi. Et quand enfin je rentrerais à la maison ce soir, ce serait pour trouver un chat grognon et de vieux restes à réchauffer au micro-ondes.

Mais garde la tête…

Encore faudrait-il le pouvoir.

Deux mètres plus loin, quelque chose brillait au milieu des détritus.

Portée par l'espoir, j'ai fait encore quelques pas.

Victoire ! Un bout de fil de fer d'une soixantaine de centimètres. Parfait pour bricoler un outil.

Retour à la Mazda en sautillant d'un pied sur l'autre. Là, j'ai façonné une petite boucle à l'une des extrémités du fil de fer en vue de l'introduire dans la fente mentionnée par Jimmy.

Le nez collé au carreau, les deux mains serrées sur cette tige de fortune, j'ai essayé de passer la boucle autour du bouton de fermeture. Après cela, je n'aurais plus qu'à tirer en l'air d'un coup sec.

J'en étais à ma énième tentative quand un ordre a retenti dans mon dos.

— Éloignez-vous du véhicule !

Shit.

Je me suis retournée, le bout de fil de fer à la main.

À trois mètres de moi, un gardien en uniforme, les pieds fichés au sol, prêt à m'agripper par le devant de ma veste. Sur ses traits, excitation et nervosité.

Je lui ai décoché un sourire qui se voulait désarmant ou tout du moins apaisant.

Lui, le visage de marbre :

— Éloignez-vous du véhicule !

Dix-huit ans, les cheveux blonds et le teint rougeaud, écarlate même. Un cran en-dessous de mes ampoules.

Re-sourire charmeur de ma part. Le genre : «Quelle idiote je suis ! »

— Je me suis enfermée à l'extérieur de ma voiture.

— Présentez-moi une pièce d'identité et les papiers du véhicule.

— Mon sac est à l'intérieur. Les clés sont dans le contact.

— Éloignez-vous du véhicule !

— Dès que j'arrive à attraper le bouton de la portière, je vous montre…

— Éloignez-vous du véhicule !

Pas très varié, son répertoire.

J'ai obtempéré, le fil de fer toujours en main. Blondie m'a signifié de m'écarter davantage.

Les yeux au ciel, j'ai accru la distance. Et lâché le fil de fer. Toute intention de rester aimable m'a quittée.

— Ça va ! Je sors d'une sélection des jurés. C'est ma voiture. Mes papiers sont à l'intérieur. Je suis en retard à mon boulot. Je travaille au Bureau du médecin examinateur du comté.

Si j'espérais l'amadouer avec cette dernière référence, je me trompais lourdement.

Pour lui, j'étais une femme sale et pieds nus, peut-être dangereuse, qui essayait de voler une voiture avec un outil improvisé. Je pouvais le lire sur ses traits. J'ai lancé sèchement :

— Appelez le bureau du ME.

Le temps d'un battement de cil. Puis :

— Attendez ici.

Comme si j'allais m'enfuir, pieds nus et sans voiture !

Blondie est parti d'un pas précipité.

Appuyée contre la Mazda, je fulminais, tantôt faisant passer le poids de mon corps sur l'un ou l'autre de mes pieds amochés, tantôt vérifiant l'heure à ma montre, tantôt scrutant le sol des yeux à la recherche de mon bracelet. Puis j'ai entrepris de faire les cent pas dans le stationnement.

Enfin, un bruit de moteur.

Quelques secondes plus tard, une Ford Taurus blanche a émergé de la rampe.

Et moi qui croyais avoir eu mon quota d'horreur pour aujourd'hui !

Chapitre 2

Tout en roulant vers moi, Erskine Slidell, surnommé Skinny, a retiré ses Ray-Ban hallucinantes et baissé sa vitre pour mieux reluquer mes bas de pantalon dégueu, mes pieds en compote et mes cheveux hirsutes. La section Investigation des crimes et homicides de la police de Charlotte-Mecklenburg comporte deux douzaines de détectives au moins, pourtant je me retrouve toujours à faire équipe avec Skinny. Et c'est chaque fois une nouvelle mise à l'épreuve de ma capacité d'endurance.

Non que Slidell soit nul en la matière, loin de là. Le problème, c'est son côté années 70. Comprendre : les flics du genre Dirty Harry Callahan, Popeye Doyle ou le sergent Friday. Autrement dit : la vieille école à laquelle il revendique d'appartenir. Son leitmotiv, quand il interroge des témoins, c'est : « Tenez-vous-en aux faits, m'dame. » Inutile d'espérer un quelconque « s'il vous plaît ». Pas son genre, à Slidell.

Il y a quelques années, son coéquipier, Eddie Rinaldi, a été tué au cours d'une fusillade en pleine rue. Skinny n'y était pour rien, et personne ne l'a jamais blâmé pour la mort de son collègue… Mais lui ne se la pardonne pas. Au moment de lui attribuer un nouveau partenaire, les instances supérieures ont considéré comme judicieux d'élargir un peu ses horizons culturels. Et c'est ainsi que Slidell s'est vu affecter une femme, qui plus est hispanique et lesbienne : Theresa Madrid. À la surprise générale, le couple s'est bien entendu. Récemment, Madrid et sa compagne ont adopté ensemble un bébé coréen. Comme Madrid est actuellement en congé de maternité, Slidell travaille temporairement en solo. Et il apprécie.

— Ouuu-iii ! a-t-il lâché avec sa balourdise habituelle.

— Détective…

— Quelqu'un à qui vous avez marché sur les pieds ?

Plus tard, je rirais peut-être de cette mésaventure, mais pas sur le coup. Je n'avais que trois solutions, aussi mauvaises les unes que les autres : discuter avec le crétin du stationnement ; faire du stop jusqu'à une cabine téléphonique et attendre l'arrivée des gars du dépannage automobile ; me taper Slidell.

C'est donc sur un ton plus que frisquet que je lui ai demandé :

— Comment avez-vous su que j'étais ici ?

— J'étais avec Doc Larabee quand on l'a appelé. Montez.

Il a ouvert la portière côté passager.

Je me suis installée sur le siège, non sans avoir empli mes poumons d'une grande goulée d'air frais.

— Dieu du ciel, doc ! J'ai pas souvenir d'avoir vu quelqu'un d'aussi mal en point depuis des années !

— Vous devriez sortir plus souvent.

— Qu'est-ce que vous avez encore… ?

— Lutte dans la boue. Arrêtez-vous là-bas. (Désignant le gros 4×4 un peu plus loin.)

— Ben dites donc ! Le gars d'en face, y doit pas être beau à voir.

— Je publierai une vidéo sur YouTube. (En agitant le doigt impatiemment.)

Slidell a roulé dans la direction indiquée.

— Stop ! ai-je déclaré en levant la main. Un peu plus loin, derrière ce 4×4.

— J'devine ce qui s'est passé. Un gars vous a remise à votre place pour avoir voulu survoler sa bagnole.

— Si j'en étais capable, vous ne m'auriez pas trouvée ici.

Je suis descendue de voiture. Les ampoules sur mes orteils ressemblaient à deux yeux rouges braqués sur moi.

Ce bracelet ne m'aurait pas été offert par Katy, j'aurais mis une croix dessus et je me serais tirée d'ici en vitesse. Et puis un jour, je lui aurais raconté l'affaire, et on en aurait bien ri. Qui sait ?

Je me suis faufilée entre ma voiture et le mammouth bleu, les yeux rivés au sol. Bingo ! Le bracelet gisait entre les deux rétroviseurs, à l'endroit le plus inaccessible.

Rentrant le ventre, je me suis glissée entre les poignées de portière et me suis laissée descendre jusqu'à me retrouver accroupie. Les épaules tournées au maximum, j'ai tendu le bras et réussi à attraper ma gourmette. Je me suis relevée en faisant attention à ne pas déclencher d'alarme et je suis retournée à la Taurus.

Slidell n'a pas fait de commentaires sur ma prestation. À l'évidence, j'avais franchi la ligne entre amusant et pitoyable.

Je suis remontée en voiture et j'ai claqué la portière.

— On va où ?

— Au MCME. (Tout en refermant le bracelet autour de mon poignet.)

— Je me ferais un plaisir de vous ramener au bercail.

— Les clés de la maison sont dans mon sac. Qui est dans la voiture.

— Un magasin de chaussures, peut-être… ?

— Inutile, merci. (Sèchement.)

— Pas de problème. De toute façon, j'y retourne aussi.

J'aurais pu lui demander pourquoi. Au lieu de ça, les yeux rivés sur la vitre, je me suis efforcée de faire abstraction des odeurs qui régnaient dans l'habitacle. Une prouesse olfactive, compte tenu de la passion de Slidell pour la friture et le sur-gras, les fonds de café parsemés d'îlots de moisissures, les espadrilles imbibées de sueur et les casquettes de baseball tachées de graisse. Sans parler des relents de cigarette et de l'odeur de Skinny lui-même.

Cela dit, côté arôme, je n'avais de leçon à donner à personne.

Arrivé en bas de la rampe, Slidell a pris la direction d'East Trade et tourné à gauche.

Plusieurs minutes de silence, puis :

— Qui c'est qui a exécuté Rex ?

Pas la moindre idée de ce qu'il racontait.

— Les toutous. Qui c'est qui les a fait crever ?

Super. Slidell était au courant des momies qui m'attendaient au labo. De quoi alimenter les rigolades à mon sujet.

— Qui c'est qui a zigouillé…

— On m'a demandé d'analyser ces quatre ensembles d'ossements pour savoir s'il s'agissait bien de restes non humains. Si c'est le cas, ils seront datés et authentifiés par des archéologues qui les enverront à… quelque part.

— Mais pourquoi qu'cette portée de chihuahuas morts…

— Les paquets ne proviennent pas du Mexique mais du Pérou.

— Ouais, bon. Enfin bref, comment ça se fait que ce soit le ME qui ait hérité de ces toutous ?

— Ils ont été saisis à l'aéroport. Un crétin qui croyait pouvoir les faire entrer clandestinement au pays. Importation illégale d'antiquités. C'est un crime, vous savez bien.

— Ouais.

On a encore roulé un moment en silence, Puis :

— Le vieux Dom Rockett s'est fait attraper par les Feds.

J'ai refréné ma curiosité, sachant que Slidell allait développer. Ça n'a pas tardé.

— Dom Rockett, le roi du kitsch provenant du monde entier.

— Du monde entier ? ai-je répété, incapable de me retenir.

— De l'Amérique du Sud, surtout. Nos *amigos*, là-bas, y z'ont assez de bric-à-brac pour fournir tout le monde.

Slidell et le commerce équitable…

— Des bracelets et des bagues de pacotille, des trucs à se mettre autour du cou. Des châles bariolés. Des machins à pendre au mur. Tout le bazar importé qui s'retrouve aux puces.

— Quel poète vous faites, détective.

— Y paraît, d'après l'ICE, que Rockett chercherait à se diversifier. Peut-être même à ouvrir une branche consacrée aux vraies antiquités, histoire d'élargir ses horizons.

L'ICE : les services des Douanes et de l'Immigration, auprès de la Sécurité intérieure, voilà ce à quoi Slidell faisait allusion.

— Des antiquités non répertoriées.

Je n'ai pas réagi.

— M'étonnerait pas. Ce gars-là, c'est de la vase de marécage.

— Vous le connaissez ?

— De réputation. D'un bourbier à l'autre, on se croise.

Je n'ai pas cherché à décrypter ce que Slidell entendait par là.

— Vous pourriez mettre le climatiseur ?

— Z'aurez pas froid à vos petits pieds ?

Très pince-sans-rire.

Je lui ai retourné un regard signifiant de ne pas me chercher. Réaction inutile, vu que ses Ray-Ban n'avaient pas dévié de la route.

Il a appuyé sur un bouton puis martelé le tableau de bord du plat de la main. Un voyant bleu s'est mis à clignoter et les bouches d'aération ont craché un air tiède.

— Si vous dites vrai, Rockett avait peut-être l'intention de vendre ces momies à un musée, ai-je dit. Ou à un collectionneur privé.

— L'ICE apprendra ce qu'il faut savoir. Ce con-là va plonger et entraîner avec lui son contact, quel qu'il soit !

Une fois passée l'I-77, West Trade piquait à l'ouest puis revenait à l'est. Comme Slidell abordait le tournant à grande vitesse, le bordel entassé sur le siège arrière a valsé sur le plancher — sacs en papier, boîtes de bouffe en carton, etc. Des images de mangeaille hors d'âge se sont imposées à moi. Poulet grillé ? Barbecue ? Restes d'une bête crevée ramassée sur la route ?

Au bout d'un moment, la curiosité l'a emporté et j'ai fini par demander :

— Vous êtes sur quoi, avec Larabee ?

— Une victime de la circulation. Arrivée à la morgue ce matin. De sexe féminin. Sans papiers.

— Âge ?

— Assez vieille.

— C'est-à-dire ? (Sur un ton plus cinglant que je ne le voulais.)

— Entre quinze et dix-neuf ans. Une *chicano*, aussi sûr qu'un billet sorti de la banque.

— On ignore encore son nom, mais vous, par magie, vous savez déjà, et sans l'ombre d'un doute, que c'est une clandestine hispanique.

— Elle se balade sans clés ni papiers.

Tout comme moi, ai-je pensé en mon for intérieur.

Des secondes ont passé.

— On l'a trouvée où ?

— À l'angle de Rountree et d'Old Pineville, juste au sud de Woodlawn. Doc Larabee situe l'heure de la mort entre minuit et l'aube.

— Qu'est-ce qu'elle pouvait bien ficher là ?

— À votre avis ?

Old Pineville est un de ces endroits déjà déserts en plein jour, alors, imaginez au beau milieu de la nuit. Il y a bien deux trois commerces, mais pas de ceux qui attirent les ados.

— Des témoins ?

Slidell a secoué la tête.

— Je vais interroger le voisinage, dès que j'en aurai fini avec Doc Larabee. À mon avis, elle était au boulot.

— Vraiment ?

Slidell a haussé ses épaules épaisses.

— Une ado non identifiée et sur qui on ne sait encore rien. Mais pour vous, c'est déjà une sans-papiers qui fait le trottoir. Bravo, vous êtes le détective le plus rapide du monde !

Il a marmonné dans sa barbe.

Je ne l'ai pas écouté. Depuis le temps, je connais le bonhomme.

Mes cellules grises me présentaient une série d'images : une fille toute jeune, seule dans la nuit, sur une route à deux voies. Des phares. L'impact d'un pare-chocs.

— … Story ?

— Pardon ?

— John-Henry Story, vous vous rappelez ?

Son brusque changement de sujet m'a prise de court.

— Le type qui est mort dans l'incendie, en avril dernier ?

En effet. Six mois plus tôt, j'avais analysé des restes retrouvés dans les ruines d'un marché aux puces dévasté par une explosion. La victime était un Blanc, âgé de quarante-cinq à soixante ans. Son profil biologique correspondait à celui du propriétaire du lieu, un certain John-Henry Story. Qui, justement, avait dit à des connaissances qu'il se rendait là-bas. Après cela, plus personne n'avait eu de ses nouvelles. Des effets personnels avaient été retrouvés avec les ossements. Téléphone ? Portefeuille ? Montre ? Je ne me souvenais plus très bien.

Bien que l'identité de la victime n'ait été établie que sur la base de faits circonstanciels, le médecin examinateur avait décidé de clore l'affaire. Les enquêteurs avaient réalisé différents tests, mais la grange qui accueillait la brocante était si vieille et sa destruction si totale qu'il n'avait pas été possible de déterminer la cause exacte du sinistre.

Un homme d'affaires connu, mort dans l'incendie d'un bâtiment sans système d'alarme ni gicleurs : le décès de ce Story avait fait les manchettes. Pendant un temps, la presse s'était gargarisée du problème de sécurité publique que posaient les marchés non réglementés et les foires d'armes à feu, puis elle était passée à autre chose. Le calme revenu, la brocante Story avait rouvert ses portes ailleurs.

— Hi-yah! a lâché Slidell pour signifier que nous étions rendus. (Expression qu'il affectionne et qui me rend folle.)

Des années durant, les bureaux du médecin examinateur du comté de Mecklenburg ont occupé, au coin de la Dixième Rue et de College Street, une espèce de boîte à chaussures en brique rouge qui avait précédemment accueilli la jardinerie Sears. Des années durant, les édiles de la ville avaient parlé de les transférer ailleurs, sans qu'il ne se produise jamais rien. Jusqu'à ce que, miraculeusement, le projet prenne son essor.

Pour huit millions de dollars, un bâtiment avait été édifié sur un terrain appartenant à l'État, dans une zone industrielle au nord-ouest de la ville. Quatre fois plus grand que nos anciens locaux. Ces bureaux tout neufs de 1 700 m^2 étaient un modèle du genre : de la résine époxy au sol, du Corian sur les murs et de l'inox sur des kilomètres. Aujourd'hui, on peut pratiquer quatre autopsies en même temps au lieu de deux. Et ce nouvel édifice inclut deux salles spécialement équipées pour l'analyse des cas de décomposition ou de contamination potentielle.

Les cas qui puent. Ma spécialité.

Et ici on peut pratiquer les autopsies de A à Z, car, en plusieurs endroits, le bâtiment est surélevé d'un étage.

Pour couronner le tout, il est rigoureusement écolo. Système de récupération d'énergie sophistiqué. Conduits d'aération de 20 cm de diamètre, pas moins.

Malgré la taille des lieux, l'atmosphère est assez paisible. Bleu clair et terre de Sienne pour les bureaux et les salles ouvertes au public ; larges fenêtres protégées du soleil par des stores à lamelles orientables, ce qui permet d'obtenir à la fois un maximum de lumière et un minimum d'éblouissement.

En d'autres termes, des nouveaux locaux super.

Slidell a franchi la barrière de sécurité noire, contourné les mâts avec les drapeaux et s'est garé. Le moteur coupé, il s'est contorsionné pour me faire face et a passé le bras par-dessus son dossier, m'expédiant une bouffée odorante droit dans les narines.

— John-Henry Story avait des entreprises un peu partout dans les comtés de Mecklenburg et de Gaston. Les garages Story. Les entrepôts Story.

Le stockage, c'est Story !

Le slogan a immédiatement surgi dans mon cerveau. Une campagne publicitaire agaçante, mais efficace.

— Un bistrot, John-Henry's Tavern. La liste est plus longue que la queue de mon chien.

— Vous avez un chien ?

— Vous voulez entendre ce que j'ai à dire, ou pas ?

— À quoi bon revenir sur le sujet ? La mort a été jugée accidentelle.

Me regardant fixement, Slidell a plongé d'un geste théâtral la main dans la poche intérieure de sa veste — une vieille fripe marron et moutarde portée sur une chemise orange tirant sur le melon. D'un geste agile, il en a extrait un Ziploc.

Des simagrées à vous faire lever les yeux au ciel !

Je me suis retenue et, gentiment, je me suis penchée sur la chose.

À la vue du contenu, je n'ai pu m'empêcher de hausser les sourcils. Surprise de taille.

Chapitre 3

Le sachet en plastique que Slidell agitait sous mon nez jetait des éclairs dans la lumière du soleil.

J'ai attendu qu'il s'explique.

— La victime avait un sac. Rose fluo, pas plus grand qu'un hamburger. Le genre avec bandoulière, comme en portent les putes.

— Je porte un sac à bandoulière, ai-je répliqué vertement, énervée par son ton sarcastique.

Et aussi par sa conclusion que cette fille tuée par un chauffard était forcément une prostituée.

— Rose bonbon et en forme de chat ? Comme dans ces stupides dessins animés ?

— Vous êtes sûr que c'était le sien ?

— Ouais, j'suis sûr que c'était le sien. Il était dans l'herbe, à trois mètres du corps. Et pas depuis longtemps. On travaille sur les empreintes.

— Et ça, c'était dedans ? ai-je demandé en désignant le contenu du sachet.

— Ouais, avec un tube de rouge à lèvres couleur pute.

— De l'argent ?

— Un billet de dix et deux de un. Plus quarante-six cents. En vrac. Comme de la monnaie rendue, qu'on fourre n'importe comment dans ses poches.

— Rien d'autre ?

— *Nada*... Juste ça. (Et d'agiter le sachet de plus belle : Slidell dans son numéro de magicien de Mecklenburg.)

Je le lui ai pris des mains pour examiner de plus près la carte en plastique jaune et marron rangée à l'intérieur, persuadée d'avoir mal déchiffré le nom en petites lettres noires gravé dessus.

Mais non.

— C'est quoi, ce truc ?

— Une carte d'accès au Club US Airways. Établie au nom de John-Henry Story. Date d'expiration : fin février de l'année prochaine. Je me suis dit que ça devrait vous intéresser.

— Elle avait sur elle une carte US Airways appartenant à John-Henry Story ?

Slidell a confirmé de la tête.

— Mais comment est-ce possible ?

— Question des plus pertinentes, doc. Comme celle-ci : Story a passé l'arme à gauche, y a six mois. Elle était où, sa carte de membre, dans l'intervalle ?

Non, ça ne tenait pas debout.

— Récapitulons : ce qu'on a ici, c'est un Story mort et enterré, et sa carte de membre qui tout à coup refait surface. J'ai vérifié, a ajouté Slidell : la dernière fois qu'il a mis les pieds dans le salon US Airways de l'aéroport, c'était six semaines avant l'incendie.

— Il allait où ?

— Je le saurai bientôt.

— Il était seul ?

— Non, avec quelqu'un.

— La fille ?

— Y z'enregistrent pas ce genre d'information.

Skinny a tiré un autre Ziploc de sa poche.

— Dans son sac, y avait aussi ce bout de papier.

Las clases de Inglès. Église catholique Saint-Vincent-de-Paul.

J'ai relevé les yeux sur Slidell. Il m'a rendu mon regard en haussant les épaules, me signifiant ainsi son incompréhension.

Au moment de quitter la voiture, je me suis penchée en avant pour récupérer mes affaires à mes pieds, mais bien sûr il n'y avait rien. Je n'avais ni chaussures, ni sac, ni clés de voiture ou de chez moi, ni téléphone, ni argent, ni cartes de visite.

En d'autres temps, j'aurais pu appeler Katy et lui demander le double de mes clés qu'elle garde chez elle.

Katy. Oh mon Dieu!

— Bon, eh bien merci d'être venu me chercher. Je vous revau…

— … revaudrez ça? Vous inquiétez pas de ça pour l'instant.

Pour l'instant? Génial.

Tenant mon bas de pantalon soulevé, je me suis dépêchée de franchir la porte d'entrée. Cette marche pieds nus sur ce sol en béton lissé était bien la première chose un peu agréable qui m'arrivait depuis ce matin. J'ai marqué un arrêt pour soulager mes orteils endoloris.

Je serais bientôt plus ou moins présentable dans ma tenue de chirurgien et chaussée des espadrilles confortables que je gardais dans mon bureau.

De toute façon, pas plus mes collègues que Slidell n'étaient du genre à se choquer en me voyant dans cet état. Plutôt du genre à en faire des gorges chaudes. Enfin… je leur avais déjà offert des spectacles bien pires, parfois même accompagnés d'odeurs pestilentielles…

Sauf Mme Flowers, mais elle ne dirait rien. Elle m'exprimerait sa désapprobation en rétrécissant les paupières et en repositionnant des choses sur son bureau impeccablement rangé. C'est tout.

Je lui ai fait un signe de tête à travers le carreau. Elle a déclenché l'ouverture de la porte et, d'un frétillement du doigt, m'a signifié de venir la trouver.

Bien qu'elle ait un prénom, Eunice, si je ne me trompe, tout le monde l'appelle Mme Flowers. Ce nom lui va si bien que je me suis parfois demandé ce qu'il en aurait été si elle avait épousé un Smith ou un Gaspard. En effet, elle a tout d'une pivoine, les rondeurs et le teint de porcelaine. Teint dont elle doit prendre soin depuis sa plus tendre enfance, et qui a pour caractéristique de virer au violet en présence du sexe opposé.

Enfin… timide pivoine ou non, Mme Flowers est une femme motivée qui n'a pas son pareil pour garder à portée de main les documents dont vous avez besoin, pour taper, vérifier et distribuer les rapports quasiment dans l'instant, et tout cela sans cesser de répondre au téléphone et d'effectuer un tri hautement sélectif parmi les visiteurs qui se présentent à l'entrée. Compte tenu du nombre que nous sommes à travailler ici — trois pathologistes permanents, une tripotée de chercheurs et de consultants temporaires comme moi-même —, c'est vraiment une aubaine de l'avoir dans l'équipe.

— Mon Dieu ! s'est-elle écriée, et sa main est retombée sur sa blouse en soie.

— C'est une longue histoire, ai-je répondu.

Manière de dire : pas un mot sur le sujet.

Un de ses sourcils soigneusement épilés s'est haussé légèrement, mais elle n'a pas insisté.

— Le Dr Larabee souhaite vous voir. (Un accent du Sud à couper au couteau.) Il est dans la grande salle d'autopsie.

— Merci.

Deux petits couloirs, baptisés biovestibules par ceux qui les ont imaginés, relient les secteurs administratif et public du bâtiment à la zone réservée aux autopsies. J'ai parcouru le premier et me suis arrêtée brièvement devant le tableau des affaires en cours.

Quatre nouveaux cas. Un accident de la route impliquant un seul véhicule sur North Davidson, près d'Optimist Park. Le conducteur, âgé, était mort à son arrivée au Carolinas Medical Center. Une fille de seize ans retrouvée dans Shamrock Drive à côté d'une benne à ordures, le crâne éclaté par un coup de feu. Les fameux restes momifiés en provenance du Pérou qui attendaient mon bon vouloir. Et l'adolescente d'Old Pineville Road, écrasée par le chauffard qui avait pris la fuite.

L'inconnue de Slidell.

J'ai filé aux toilettes m'arranger les cheveux et nettoyer au mieux mon visage. De là, je suis passée au vestiaire pour revêtir ma tenue de chirurgien. Dernier arrêt dans mon bureau pour soigner mes ampoules — antiseptique et diachylons — et chausser mes Nike de rechange, rangées sous mon porte-manteau. Dix minutes après mon arrivée, j'étais prête à me mettre à l'ouvrage.

Au moment où je suis entrée dans la grande salle d'autopsie, Tim Larabee se tenait debout à côté d'une des deux tables en inox. Il n'était pas en train de découper des restes, de les peser, de les examiner ou d'enregistrer ses observations, non. On aurait plutôt dit qu'il cherchait à les dissimuler aux regards extérieurs. Au mien ? À celui de Slidell ? À ceux de tous les gens qui allaient faire subir des tests à la victime, la photographier, l'analyser, la disséquer ?

Drôle de pensée. Mais pas vraiment sans fondement.

Car c'était bien un processus rigoureusement dénué d'émotion qui venait de commencer, et j'allais y prendre une part active.

Des radios étaient accrochées aux négatoscopes fixés sur tout un pan de mur. Radios du crâne et du corps entier.

Une paire de bottes était posée sur un comptoir. En vinyle jaune, avec des talons hauts et des fleurs bleues et rouges brodées sur les côtés. Les semelles pleines de boue. Bon marché.

Une petite taille. Des 5, peut-être. Des pieds d'enfant dans des bottes de grande fille.

Les vêtements étaient suspendus à un séchoir. Chemisier rouge, mini-jupe en jeans, soutien-gorge en coton blanc, culotte en coton blanc à pois bleu clair.

Slidell se tenait près de la porte, les pieds écartés, les mains jointes en V devant ses parties génitales. L'air pas du tout intéressé par la situation.

Sa vue a suffi à raviver mon irritation. Je me suis forcée à faire le vide en moi et à me brancher en mode scientifique.

Règle n° 1 : court-circuiter son esprit. Ne s'autoriser aucune idée préconçue, aucune crainte, aucun espoir en matière de résultat. Observer, peser, mesurer, et tout enregistrer.

Règle n° 2 : bloquer ses émotions. Remettre à plus tard sa tristesse, sa pitié, son indignation. La colère ou la douleur peuvent créer de la confusion et induire en erreur. Et les erreurs n'aident en rien la victime.

Néanmoins.

Tout en regardant le petit visage meurtri et déformé, je me suis représenté cette jeune fille vivante, retenant par sa sangle le minou rose tout léger qui lui servait de sac et glissait sans cesse de son épaule.

Le tronçon de route sombre.

Son cœur battant dans sa poitrine.

Les phares.

La culotte en coton, blanche avec des petits pois bleu. Katy en avait eu des pareilles tout au long de ses années d'école. C'était ses préférées.

— Slidell t'a mise au courant ?

La question de Larabee m'a brusquement ramenée au temps présent.

— Écrasée par un chauffard, pas encore identifiée.

— Viens voir, a-t-il dit en se dirigeant vers les radios.

Il avait les traits tirés et le visage amaigri, même pour lui qui est un obsédé du marathon, sans un gramme de graisse et avec des creux à la place des joues plus profonds que les abysses océanes.

Je l'ai rejoint. Il a sorti un stylo-laser de sa poche de sarrau et l'a pointé sur un détail situé à peu près au milieu de la tige axiale de la clavicule gauche.

Puis plus bas, sur les troisième et quatrième côtes.

Sur la radio suivante, il a promené le faisceau le long du bras, sur l'humérus, le radius et le cubitus, et enfin sur la main.

— Oui, ai-je dit, en réponse à la question qu'il n'avait pas formulée.

Il est passé au troisième cliché, une vue latérale du bassin. J'ai suivi.

Il n'a pas eu besoin de me désigner quoi que ce soit. J'ai tout de suite répété mon «oui».

Images suivantes : le crâne, radiographié de face, de dos et de profil.

Des doigts glacés ont commencé à me tordre les entrailles.

Je suis retournée auprès du corps sans prononcer un mot.

La jeune fille était allongée sur le dos. Larabee n'avait pas encore pratiqué l'incision en Y. Sans ses nombreuses ecchymoses, éraflures et fractures, on aurait pu la croire endormie. Ses longs cheveux blonds lui faisaient comme une auréole. Une mèche était retenue au sommet de sa tête à l'aide d'une barrette en plastique représentant un chat. Rose. Les mignonnes petites filles les adorent.

Concentre-toi.

J'ai enfilé des gants et entrepris d'examiner les chairs tuméfiées. D'une pâleur fantomatique. Froides au toucher. J'ai palpé le bras, l'épaule, la main, l'abdomen, cherchant à évaluer les traumatismes sous-jacents correspondant aux taches noires et blanches révélées par les rayons X, et qui ne laissaient aucune place au doute.

— On la retourne ?

Dans le silence, ma voix a produit l'effet d'une explosion.

Larabee est venu se placer à côté de moi. Ensemble, nous avons ramené les bras minces de la jeune fille contre son corps et l'avons fait rouler en la prenant par les épaules et les hanches.

J'ai suivi des yeux le tracé délicat de sa colonne vertébrale jusqu'à ses petites fesses. Me suis arrêtée sur les traces de pneus imprimées dans la chair de ses cuisses douloureusement minces.

L'étreinte dans mon ventre s'est resserrée.

— C'est quoi, ça ?

J'ai montré du doigt une tache plus claire sur l'épaule droite de la jeune fille.

En fait, une série de pointillés sur une longueur d'une douzaine de centimètres.

— Un hématome, a déclaré Larabee.

— On dirait un motif qui se répète. Tu as une idée de ce qui aurait pu le causer ?

Larabee a secoué la tête.

Je me suis tournée vers Slidell. Il m'a rendu mon regard interrogateur sans faire de commentaire.

— Je peux voir les photos des lieux ? ai-je demandé sur un ton agacé tout en retirant mes gants.

Larabee est allé prendre un paquet d'instantanés sur le comptoir. Une image après l'autre, j'ai pu me faire une idée de l'endroit désolé où la jeune fille avait vécu ses derniers instants.

Les photos racontaient toutes la même histoire.

Et ce n'était pas celle d'un accident.

Chapitre 4

— Un meurtre ? s'est exclamé Slidell, et sa voix s'est répercutée sur le mobilier, tout de verre et d'inox.

— Légalement, ça suppose l'intention de donner la mort, a précisé Larabee.

— On s'en fout des définitions légales. Ce qui compte, c'est qu'un salaud a tué cette enfant, ai-je répliqué, le doigt pointé sur le corps mutilé.

— Mais de quoi diable vous parlez ?! a repris Slidell en nous fixant l'un et l'autre d'un air ahuri.

D'un geste, je lui ai signifié de s'approcher de la radio du bras gauche de la victime. Larabee, venu nous rejoindre, m'a tendu son pointeur. J'ai désigné la tige axiale de l'humérus, dix centimètres en dessous de l'articulation de l'épaule.

— Vous voyez cette ligne sombre ?

— OK, elle a le bras cassé. Mais ça prouve pas que cette petite s'est fait cogner, a rétorqué Slidell, les yeux rivés sur le cliché, et son expression s'est faite encore plus dubitative.

— En effet, détective, ce n'est pas une preuve suffisante. Mais regardez les phalanges médianes et distales.

— Hé, pas la peine de me noyer sous votre jargon, doc !

— Les os des doigts.

Je me suis plantée devant le cliché suivant. Le nez vissé dessus, Slidell a examiné les parties que j'éclairais de mon stylo.

— Les phalanges du milieu devraient ressembler à des petits tubes. Celles du bout des doigts, les distales, à de minuscules pointes de flèches.

— Alors qu'on dirait des copeaux de bois.

— Exactement. Ces os ont été écrasés.

Slidell a émis un bruit de gorge que je me suis abstenue d'interpréter.

Faisant abstraction des blessures cutanées, je suis passée directement à la radio du crâne. Mieux valait laisser à Larabee les explications concernant les tissus mous.

— Il n'y a pas de fracture, mais regardez la mandibule. En particulier la protubérance dite «mentale».

Slidell a pris une grande goulée d'air et l'a expulsée bruyamment. J'ai compris et traduit en langage clair :

— Le menton, si vous préférez.

— Pourquoi vous dites «mentale» alors, parce que le cerveau, il est bien plus loin au-dessus ?

— Parce que certaines personnes réfléchissent avec leur bouche.

Larabee a souri — enfin presque. Côté Skinny, en revanche, la blague n'a pas fait long feu.

— Très bien, a-t-il lâché, pas du tout convaincu. Un menton de cassé, un bras cassé, des doigts écrasés… Et tout ça pris ensemble, pour vous, ça donne un meurtre ?

— Les marques de pneus sur les cuisses indiquent que la mort a été causée par un véhicule. Mais ce n'est pas vraiment un accident de la circulation. La victime n'était pas debout sur le bas-côté de la route en train de faire du stop ou d'attendre un copain qui devait la ramener chez elle. Elle a été renversée volontairement.

Larabee, qui était déjà parvenu à cette conclusion, a confirmé mes dires d'un signe de tête.

J'ai poursuivi à l'intention de Slidell, toujours plongé dans l'examen de la radio.

— Imaginez la scène. Elle marche. Peut-être même qu'elle court. Une voiture lui arrive dessus par derrière. Peut-être qu'elle essaie de s'enfuir, mais pas forcément. Quoi qu'il en soit, la voiture lui rentre dans l'arrière des jambes.

Slidell gardait le silence. Larabee continuait d'approuver de la tête.

— Elle tombe au sol, durement, les bras tendus en avant. Son menton heurte la chaussée. Elle est déjà sous le châssis du véhicule. Les pneus gauches roulent sur sa main gauche, lui écrasent les doigts...

— Z'êtes sûre de ça ?

Je me suis tournée vers Larabee. Il a pris la relève.

— Généralement, un piéton renversé par une voiture est plaqué contre le pare-brise ou projeté sur le côté. Il a des blessures à la tête, en haut du thorax ou aux jambes. Ici, la victime ne présente pas de traumatisme crânien ou thoracique qui corresponde à un impact avec un pare-brise ou à une décélération rapide dirigée vers la droite ou vers la gauche.

Comme Slidell n'avait toujours pas l'air convaincu, je suis allée prendre les photos de la scène du crime. J'en ai sélectionné deux dans le paquet et les lui ai tendues.

Il les a étudiées l'une après l'autre et a expiré lentement et avec bruit. Par le nez.

— Pas de trace de dérapage sur la chaussée.

— Exactement. Parce que le conducteur n'a jamais appuyé sur le frein.

— Enfant de chienne !

— Tu estimes le TEM entre sept et dix heures ? ai-je demandé à Larabee.

Par cette abréviation, j'entendais le « temps écoulé depuis la mort ».

— Oui, avec un peu de marge. Le corps est arrivé ce matin, peu après neuf heures. Et hier, pendant la nuit, il faisait seulement neuf degrés. Les lividités sont encore non fixées, le blanchiment se poursuit. La *rigor mortis*...

— Eh, un instant, doc, a lancé Slidell tout en extrayant de sa poche stylo-bille et carnet à spirale.

Larabee a désigné le corps.

— Vous voyez ces marbrures violacées sur le ventre, le haut des cuisses, l'intérieur des bras et le côté droit du visage ?

Slidell a brièvement relevé les yeux et s'est remis à écrire.

— On appelle ça des lividités. Elles apparaissent dès que le cœur cesse de battre, et sont dues à la gravité. Le sang s'accumule dans les parties du corps qui se trouvent en bas. Si j'appuie sur ces colorations avec mon doigt, elles s'estompent et laissent place à une zone plus pâle.

Slidell a esquissé une moue réprobatrice.

— Une tache blanche, a repris Larabee pour simplifier. Après un laps de temps d'une dizaine d'heures, les globules rouges et les capillaires sont suffisamment décomposés pour qu'on ne constate plus de blanchiment à la pression digitale.

— Et la « *rigor mortis* », c'est quand le cadavre est devenu complètement raide ?

Larabee a acquiescé.

— Quand ce corps est arrivé chez nous, les petits muscles étaient déjà totalement rigidifiés, mais pas les grands. Les mâchoires ne s'ouvraient plus, mais on pouvait encore ployer les coudes et les genoux.

— Autrement dit, a conclu Slidell, quand elle est arrivée à la morgue, elle était morte depuis plus de sept heures mais moins de dix. Ce qui place le décès entre... onze heures du soir et deux heures du matin, a-t-il ajouté après un bon moment de calcul mental.

— Oui, enfin, ce n'est pas tout à fait aussi précis que cela, a objecté Larabee.

— Et le contenu de l'estomac ? Quand vous l'aurez ouverte, je veux dire.

— Quatre-vingt-dix-huit pour cent de la nourriture est évacué de l'estomac de six à huit heures après l'ingestion. Avec un peu de chance, je retrouverai peut-être des fragments de grains de maïs ou de peau de tomate dans un repli de la muqueuse gastrique. Je vous le ferai savoir.

— Et l'humeur vitrée ? ai-je demandé à mon tour, parlant de la substance gélatineuse contenue dans l'œil. Je suppose que tu vas réclamer un dosage du potassium ?

— J'en ai prélevé un échantillon, mais je crains que ça ne permette guère de réduire la fourchette.

— Où se trouvait-elle par rapport à la ligne de train ? ai-je demandé à Slidell.

— De l'autre côté des rails.

— À quelle fréquence passent les trains, à cette heure-là ?

— Le dernier passe vers une heure du matin, celui d'après pas avant cinq heures.

— Est-ce qu'on a retrouvé des résidus métalliques sur elle, sur sa peau, ses cheveux ou ses vêtements ? De l'huile ou d'autres dépôts ?

Larabee a secoué la tête.

— C'est peu probable que des résidus se soient propagés aussi loin par voie aérienne, mais je vais revérifier. Tu as une idée précise en tête ?

— Je me dis que la présence ou l'absence de résidus provenant du train permettrait peut-être de réduire l'estimation du délai *post mortem*.

— On peut toujours essayer, a répondu Larabee avec un geste dubitatif, les mains tendues devant lui, paumes tournées vers le haut.

J'ai demandé à Slidell qui avait découvert le corps.

— Une institutrice, un peu après sept heures. En allant à l'école. En voyant un truc qui ressemblait à un mannequin abandonné sur le bas-côté, elle a eu l'idée de s'en servir en classe et elle s'est arrêtée. Elle a pris le temps de vomir ses corn-flakes avant d'appeler le 911.

J'ai examiné les photos de la scène de crime en commençant par les plans d'ensemble.

Premier cliché : une route déserte pas bien différente de celle que j'avais imaginée, avec la ligne de train léger sur la droite. Dans cette lumière de petit jour, les voies surélevées projetaient de longues ombres sur le remblai, le bas-côté de la route et la chaussée en dessous.

À gauche, un petit bâtiment en stuc à peut-être quatre-vingt mètres de distance des rubans jaunes qui délimitaient un triangle autour du corps. Devant, une étendue de gravier.

— C'est quoi ?

— Un magasin d'articles de fête. Fermé depuis des mois.

— Et ça ? ai-je demandé en montrant une sorte d'annexe sans fenêtre.

— Une espèce de remise.

La série suivante représentait le corps et son environnement immédiat. Deux routes : Rountree, qui allait d'est en ouest, et Old Pineville, qui allait du nord au sud.

Sur celle-ci, une botte en vinyle jaune.

Sur le côté droit de la chaussée, une bande d'herbe et de broussailles de plus en plus touffues jusqu'à la tranchée en contrebas où s'élevait le muret soutenant la plate-forme du train léger.

Côté Rountree Road, un bas-côté recouvert de gravier où l'on pouvait voir parmi un tas irrégulier de terre et de cailloux des objets qui ressemblaient à un verre de carton froissé et à une canette de bière. Il y avait aussi de petites taches blanches au milieu des mauvaises herbes. Des détritus ?

— Vous croyez qu'on pourrait trouver un indice dans ces déchets ? Des empreintes sur le verre ou sur la canette ?

Slidell s'est léché le pouce, a tourné plusieurs pages et s'est mis à écrire.

Dans la série de photos suivantes, le corps de la jeune fille était en partie recouvert par une couverture de laine rouge. On apercevait à gauche un coin de sa jupe. Sa jambe, tordue vers l'extérieur, formait un angle impossible à hauteur de la hanche. À côté du corps, l'autre botte qui ne chaussait plus le pied.

Le monticule sous la couverture paraissait d'une petitesse pitoyable. En regardant bien les creux et les bosses, on comprenait que l'autre jambe, allongée, avait le pied retourné vers la tête. L'un des bras était probablement tendu, l'autre dans une position difficile à deviner.

J'ai pris une profonde inspiration, espérant refouler au plus profond de moi la tristesse et la colère qui m'étreignaient.

— Qui l'a recouverte ? ai-je demandé, sachant que ce ne pouvait être les techniciens de scène de crime, car ils n'auraient jamais pris le risque d'effacer des indices ou de transférer sur le corps des éléments n'ayant rien à voir avec la situation, telles que des fibres ou d'autres choses encore.

Slidell est revenu quelques pages en arrière.

— Lydia Dreos.

— L'enseignante ?

— Ouais, j'avais oublié cette partie de l'histoire. Elle avait la couverture dans son coffre.

Sur les photos suivantes, la couverture roulée dans un sac en plastique à côté du corps. Puis le corps, d'une blancheur fantomatique sur ce fond de gravier taché d'huile, de bitume et de végétation clairsemée.

Une pensée m'est brusquement venue à l'esprit.

— Elle n'avait pas de veste ?

J'ai senti, plus que je ne l'ai vu, Slidell secouer la tête.

— Pourtant il faisait à peine neuf degrés.

Personne n'a réagi.

Ont suivi des gros plans du visage meurtri, des mains écrasées, des pathétiques petites bottes.

— L'emplacement des ecchymoses sur ses jambes devrait nous permettre d'évaluer la hauteur du pare-chocs par rapport au sol. Ce qui devrait nous aider à déduire le type de véhicule utilisé, a déclaré Larabee.

— On a relevé des traces de peinture sur elle ? ai-je demandé.

— Aucune, a répondu Larabee. Mais il y a des taches sur le sac. Noires. Elles proviennent peut-être du véhicule. Je vais les faire analyser.

— Des égratignures sur le dos causées par le châssis ?

— Non.

— Tu as mesuré l'épaisseur antéropostérieure du corps ? Ça nous fournirait une indication sur la hauteur du véhicule.

— Au niveau du bassin, dix-neuf centimètres virgule un. Mesure prise, la jeune fille étant à plat ventre.

— Ce qui devait être sa position, à en juger par ses blessures au menton et aux doigts.

— Combien ça fait, en pouces ? est intervenu Slidell.

— Sept et demi.

— Y a pas un truc monté sur roues qui soit aussi bas que ça. Sauf peut-être un skateboard.

— Quelque chose de particulier sur les blessures aux cuisses ?

— Elles font cinq centimètres de haut, a répondu Larabee, mais ne présentent pas de dessin spécifique.

— On cherche donc une bagnole sans calandre.

Bravo, Skinny !

Ses gribouillis achevés, Slidell s'est mis à tapoter sur sa page du bout de son stylo-bille.

— Bon, que je résume : la fille est en train de courir…

— Ou de marcher, a coupé Larabee par souci de précision.

— Le pare-chocs lui rentre dedans au niveau des cuisses. Elle tombe. Son menton heurte la chaussée. Ses bras s'écartent. Et la voiture lui écrase les doigts en lui roulant dessus.

Je voyais la scène comme si j'y étais. Une silhouette prise dans le faisceau de phares qui se rapprochent. La fille, les poumons en feu, le cœur battant follement et la peau luisante de sueur alors qu'elle a la chair de poule. Dans ses bottes à talons hauts, elle titube…

— Cause de la mort, à votre avis ?

— Je n'ai pas repéré de fracture du crâne, mais les radios montrent un traumatisme dévastateur. L'autopsie révélera sûrement des hématomes dans les espaces méningés, sous-galéal et intracérébral, accompagnés d'un œdème massif dans la région pariéto-occipitale.

Slidell a braqué un regard vitreux sur Larabee, qui a traduit :

— Un coup sur la tête a fait couler du sang dans son cerveau.

Slidell a réfléchi un moment. Puis :

— La petite est heurtée par derrière et tombe à plat ventre, le cerveau salement amoché. Comment ça se fait qu'elle se retrouve si loin de la chaussée ?

— La violence du choc, peut-être.

— Ou quoi encore ? a insisté Skinny, intrigué par le ton de Larabee.

— Un hématome ne provoque pas toujours une mort instantanée.

— Vous voulez dire qu'elle a pu se traîner toute seule loin de la route ?

Larabee a acquiescé d'un air triste.

— Si le salaud s'était arrêté, la petite aurait survécu ?

— Une intervention médicale aurait pu lui sauver la vie. Je dis bien : aurait pu. Pas qu'elle lui aurait forcément sauvé la vie.

Qu'il y ait eu ou non intention de donner la mort, pour moi c'était un meurtre. Inutile de le répéter.

Pour être régulièrement confrontée à des morts violentes, je sais de quoi l'homme est capable en matière de cruauté, de stupidité et de sécheresse de cœur. Pourtant une même question me revient chaque fois : mais comment est-ce possible ?

Comment un chauffard peut-il renverser une enfant et la laisser mourir ? À moins de le faire exprès.

Suivie des yeux par mes compagnons, je suis allée prendre la jupe sur le séchoir et j'ai demandé à Slidell de la faire analyser.

— Pour y chercher quoi ?

— De la peinture.

— Y a des chances d'en trouver ?

— Cherchez de l'ADN, du persil, une preuve de vie sur Mars, merde ! Faites-la analyser, un point, c'est tout !

Nombreux sont les hommes à éprouver de la gêne quand une femme exprime une forte émotion devant eux. La plupart maîtrisent à ravir l'art de ne pas réagir. Regard ailleurs. Mouvement d'un pied sur l'autre. Petite toux inutile.

Slidell y est allé de sa méthode préférée : le coup d'œil à sa montre.

Larabee, lui, s'est approché de la table d'autopsie et a retourné la jeune fille sur le dos sans l'aide de personne.

— Excusez-moi. Je n'aurais pas dû.

J'étais vraiment désolée.

— Je suis sûr que tu as remarqué ça, a lancé Larabee pendant que j'allais raccrocher la jupe. (Comme si je n'avais jamais pété les plombs.)

Je suis revenue vers lui. Slidell s'est avancé aussi.

Larabee a soulevé l'un des bras de la fille et l'a retourné.

Sur la face intérieure, de vilaines zébrures serpentaient sur les chairs à hauteur du coude.

— Voilà qui nous fait un mobile.

Slidell était si proche de moi que je sentais l'odeur de sa transpiration et de ses cheveux gras.

— Probable que la petite a foutu son dealer en rogne, et ce salaud lui a payé un aller simple pour le paradis.

— Et ce n'est pas tout, a déclaré Larabee sur un ton paisible.

Chapitre 5

— Éteignez le scialytique, s'il vous plaît.

De son pas lourd, Slidell est allé jusqu'au mur, puis est revenu près de la table.

Larabee a allumé une petite lampe à UV et l'a braquée sur l'intérieur de la cuisse de la fille.

Des traces bleutées sont apparues sur la peau. Des gouttelettes.

Du sperme.

Puis d'autres taches plus ou moins marquées à différents endroits, à mesure que Larabee faisait remonter le faisceau fluorescent. J'ai demandé :

— Donneurs multiples ?

— Des analyses ADN devront le confirmer, a répondu Larabee, mais c'est ce que je pense aussi.

— On parle viol ? a lancé Slidell, la bouche tout contre mon oreille.

— Je n'ai trouvé ni abrasions ni déchirures vaginales. Pas trace non plus de pénétration anale.

— On en revient donc à ma première hypothèse, a déclaré Slidell en se redressant. La petite faisait le trottoir.

Je me suis mordue les lèvres pour ne pas lui répondre vertement.

Larabee a coupé sa lumière.

— On rallume.

Slidell s'en est chargé.

— Tu crois que tu pourras me donner une fourchette d'âge plus précise ? a demandé Larabee au moment où le bourdonnement des néons reprenait vie.

— Joe a pris les dentaires ?

Joe Hawkins, le vétéran des techniciens d'autopsie du labo.

Larabee a désigné une petite enveloppe sur le comptoir, à côté d'un négatoscope.

Je l'ai ouverte et en ai fait glisser le contenu directement sur la vitre de l'appareil, de petits carrés noirs que je me suis appliquée à positionner selon l'ordre anatomique des dents, dès que j'ai eu branché le négatoscope.

— Bonne occlusion des quatre deuxièmes molaires, qui ont toutes leurs racines complètement formées. Au minimum, ça place notre victime dans les plus de douze ans. Les troisièmes molaires ne sont pas sorties et présentent un très petit développement racinaire. Je ne suis pas odontologiste, mais, d'après ces dents-là, je dirais qu'elle avait entre treize et dix-sept ans.

Mes compagnons ont attendu patiemment que je poursuive mon examen.

— La première molaire gauche présente un vilain abcès. Il y a beaucoup de caries, mais pas une seule restauration.

— Aucune preuve indiquant qu'elle était suivie par un dentiste, a traduit Larabee qui suivait mon raisonnement.

— Autrement dit, inutile que je me fende le cul à courir après des dossiers dentaires, a déclaré Slidell avant d'ajouter, les mains sur les hanches : un abcès, ça devait lui faire un mal de chien, non ?

— Si, probablement, a répondu Larabee, mais il est vrai que le seuil de douleur varie beaucoup d'une personne à l'autre. Pourquoi demandez-vous ça ?

— Peut-être qu'elle allait dans une de ces cliniques gratuites. Vous savez, pour se faire donner un calmant.

— Excellente idée, détective.

À l'instar des jouets achetés par catalogue, le squelette humain requiert un certain travail de montage. Si la plupart des os sont déjà présents à la naissance, il leur manque souvent des creux, des bosses ou une couche de finition pour être véritablement achevés. Tout au long de l'enfance et de l'adolescence apparaissent de petits morceaux d'os appelés épiphyses, qui fusionnent avec les tiges axiales ou avec d'autres éléments du squelette. La fusion se produit à des âges plus ou moins précis.

J'ai porté mon attention sur les radios du squelette. Joe Hawkins, qui travaille avec moi depuis plus de dix ans, avait pris exactement les clichés dont j'avais besoin. Et, à son habitude, il avait tout exécuté au quart de poil.

J'ai commencé par une série représentant les os de la main et du bras de la jeune fille.

Pour river son clou à Slidell qui ne cessait de répéter que cette inconnue était une pute, je me suis lancée dans un discours truffé de termes techniques.

Mesquin, mais tant pis !

— Pour le radius, l'épiphyse distale est en cours de fusion. Pour ce qui est du cubitus, la fusion est achevée depuis peu en ce qui concerne la partie distale de l'épiphyse. Le reste des os de la main est complet.

Je suis passée à une radio de l'épaule et du bras gauche.

— Les épiphyses acromiales sont présentes sur les deux omoplates, mais non fusionnées.

Au tour de l'humérus cassé, maintenant.

— L'épicondyle latéral, le composite distal et les épiphyses proximales sont en cours de fusion.

À présent, le bassin.

— La crête iliaque est bien présente mais encore séparée.

Je faisais allusion à une sorte de rognure d'os, censée former plus tard le bord supérieur de l'os de la hanche.

Du bassin, je suis passée à la partie supérieure de la jambe.

— La tête du fémur et le trochanter ont fusionné. Épiphyse distale en cours de fusion.

Partie inférieure de la jambe.

— Les épiphyses proximales et distales des tibias et des fibules en cours de fusion.

Le pied.

— Les phalanges proximales…

— Bref, ça veut dire quoi, tout ça ? m'a coupée Slidell.

— Qu'elle avait entre quatorze et quinze ans à l'heure de sa mort.

Bien trop jeune pour avoir eu le temps de goûter à tout ce que la vie avait à lui offrir. Quinze petites années, alors qu'elle aurait pu vivre quatre-vingts ans.

Des dents gâtées. Des piqûres d'aiguilles. Des taches de sperme. Quinze années de merde.

Pendant toute une minute, on n'a plus entendu dans la salle que le bourdonnement des lampes au néon au-dessus de nos têtes et la respiration sifflante de Slidell.

— Je pourrais peut-être m'occuper des vêtements, essayer de remonter jusqu'au magasin où ils ont été achetés, a-t-il déclaré en fourrant son carnet dans sa poche. Les bottes, c'est un bon point de départ.

Dans ma tête, j'étais déjà passée du «comment» au «qui». Qui avait abandonné cette fille sur l'asphalte ? Un ivrogne trop saoul pour l'avoir vue dans la nuit ? Un conducteur au cœur trop sec pour songer à s'arrêter ? Un tueur ayant agi en toute connaissance de cause ?

— Autre chose ? ai-je demandé laconiquement, craignant que ma voix ne me lâche.

Larabee a fait non d'un mouvement étriqué de la tête.

Sur un petit salut à Skinny, je suis retournée dans mon bureau. Me suis assise à ma table. Agitée. Mal à l'aise.

Slidell était un bon flic. Mais il avait une sale tendance au défaitisme. D'ores et déjà persuadé que la jeune fille était une prostituée sans papiers doublée d'une droguée, déploierait-il l'énergie suffisante pour traquer son assassin ?

Oui, me suis-je dit. Prostituée ou non, cette enfant s'était fait descendre sur son territoire. Autant dire que c'était pour lui un défi personnel.

Alors, d'où me venait mon anxiété ?

Katy ? Ma voiture abandonnée avec mon sac à l'intérieur ? Mes saloperies d'ampoules aux pieds ?

Enfin... Passons.

Petit tour aux toilettes pour m'asperger le visage d'eau froide. Coup d'œil au miroir, puis examen attentif de la bonne femme qui me dévisageait.

Des yeux verts intenses, un regard fatigué mais déterminé.

Des pattes d'oie au coin des yeux. Pas nombreuses et encore discrètes, mais bien méritées. Des paupières et un ovale du menton qui tenaient encore la route. Des cheveux blond foncé pas très fournis, ramassés en queue de cheval.

— OK. Il est temps de m'attaquer aux chiens péruviens.

Le reflet dans la glace a articulé les mêmes mots que moi. A copié mon signe de tête.

J'ai jeté la serviette roulée en boule et quitté les lieux.

Si les nouveaux locaux du MCME sont immenses, ce n'est pas le cas de mon bureau, quand bien même n'importe quel prospectus d'agence immobilière le qualifierait de « confortable » et « douillet ». La table occupe presque tout l'espace. En plus des armoires de classement et du porte-manteau. Si Larabee y entre, on se sent à l'étroit. Si c'est Slidell, plus possible alors de respirer.

Cela dit, je me débrouille plutôt bien avec ces quelques mètres carrés. C'est mon territoire, personne ne s'avise de l'envahir. Quant à moi, je m'en sers surtout pour rédiger mes rapports ou étudier des dossiers.

Comme celui qui m'attendait sur la table et que j'ai ouvert sitôt assise.

Première page : requête de consultation anthropologique.

J'ai parcouru le formulaire. Numéro du cas. Numéro d'enregistrement à la morgue. Numéro du dossier de police. Nom de l'officier chargé de l'enquête. Nom de l'agence du gouvernement supervisant l'affaire.

Je suis passée directement au résumé des faits. Un court paragraphe rédigé à la main qui ne contenait rien de plus que ce que je savais déjà par Slidell : objets confisqués à l'aéroport international Douglas de Charlotte. Soupçon de trafic d'antiquités. Dominick Rockett.

Description des échantillons : objets identifiés comme momies. Quantité : quatre. Origine : Pérou. Peut-être inca. Probablement récupérés dans un cimetière.

Dernière section : trois cases intitulées « Exhumation », « Profil biologique » et « Analyse traumatologique ». Laissées en blanc.

Dans la rubrique « Divers », six mots manuscrits : « Analyse et rapport écrit. Restes humains ? »

J'ai mis de côté le formulaire pour m'intéresser aux photos attachées au dossier avec un trombone.

Sur les trois premières, les paquets étaient disposés l'un à côté de l'autre, l'emballage intact.

Quelque peu desséchés et décolorés par le temps, mais apparemment en bon état. Normal, dans l'environnement plutôt sec du désert péruvien où les conditions atmosphériques sont favorables à la conservation.

Les photos suivantes montraient un des paquets partiellement déballé. Ce qu'on voyait du contenu ressemblait à une tête de chien racornie, les yeux clos et une oreille aplatie encore recouverte de fourrure.

J'ai fouillé parmi mes souvenirs d'étudiante en archéologie. De mes cours sur l'Amérique du Sud ne me revenaient que des connaissances de base. Le quinzième siècle. La cordillère des Andes. Le Machu Picchu. La langue quechua. Inti, le dieu du soleil.

J'ai positionné les photos sur une ligne pour mieux les étudier. Au bout d'un moment, un groupe de cellules à l'intérieur de mon cerveau a recraché un article que j'avais lu voilà bien cinq ans. Dans le *National Geographic* ? Un article sur les Chiribaya, une population préinca qui vivait dans la vallée de la rivière Osmore, à quelque huit cents kilomètres au sud-est de Lima. Ces Chiribaya enterraient leurs chiens auprès de leurs morts.

Vérification sur Internet. Entrée de quelques mots clés. Pérou. Canidés. Momies.

Et voilà ! Les Chiribaya enterraient leurs chiens entre les tombes de leurs chers disparus. Parfois avec des couvertures et de la nourriture en vue du voyage qui les attendait.

Je comprenais maintenant pourquoi cette affaire m'avait été confiée. Je devais m'assurer qu'il n'y avait pas d'os humains enfermés dans ces paquets.

D'après le registre des affaires en cours, ces chiens étaient ici. Pour les examiner de visu, il me suffisait de traverser le vestibule

Je ne l'ai pas fait.

Mes pensées voguaient à la dérive et me ramenaient systématiquement à la victime du chauffard, livrée en ce moment au scalpel de Larabee.

Mon regard est tombé sur la photo la plus proche de moi, plus précisément sur la virgule qu'on distinguait très clairement sous la gencive relevée du chien déballé : une dent. En excellent état malgré le passage des siècles.

Rien à voir avec celles de notre jeune inconnue.

J'ai rattaché les photos avec le trombone et refermé le dossier.

Je suis restée là un moment, sans bouger.

Puis j'ai rouvert le dossier.

Retrouvé un nom.

Décroché le téléphone et composé un numéro.

Chapitre 6

— ICE. Agence des douanes et de l'immigration. Quel service voulez-vous?

J'ai demandé l'agent qui s'occupait de l'affaire des chiens momifiés, un certain Luther Dew.

À l'ICE, vous n'avez droit à aucune ritournelle pendant la mise en attente. De fatigue et d'ennui, mon cerveau s'est mis à imaginer celle qui serait la mieux en phase avec cette administration. *Travelin Man* de Ricky Nelson? *Coming to America* de Neil Diamond? *Movin' on* de Merle Haggard?

Une voix de robot a interrompu mon petit jeu.

« L'agent spécial Dew n'est pas en mesure de prendre votre appel. Veuillez laisser un message après le bip. »

J'ai obtempéré.

Regardé ma montre. Dans quelques minutes, il serait 17 h 30. Pour prétendre à être une *travelin woman*, j'avais besoin de ma voiture.

J'ai rouvert le fichier et regardé la photo du chien déballé. Comment appelait-on cette race? Des bergers chiribaya? En tout cas, celui-ci avait tout d'un épagneul endormi.

Mon regard a glissé sur le téléphone. Dans cinq minutes, il allait sonner.

Sauf qu'il ne l'a pas fait. Évidemment.

Mon cerveau revenait en boucle à l'inconnue renversée par le chauffard. À cette heure, elle avait certainement quitté la table d'autopsie de Larabee.

Avais-je raté une découverte importante ?

Je n'ai pas eu le temps d'envisager cette possibilité, mon téléphone fixe s'est mis à glapir. Sonnerie spéciale des heures d'après boulot.

— Docteur Brennan ?

— C'est moi.

— Luther Dew. Vous avez cherché à me joindre ?

Une voix haut perchée, avec quelque chose d'efféminé. L'image d'un Truman Capote en nœud papillon et chapeau Fedora s'est imposée à moi.

— Oui. Merci de me rappeler si vite.

Silence évasif en guise de réponse.

— Je travaille pour le bureau du médecin examinateur.

— Oui. C'est effectivement là que je vous appelle.

— Je m'occupe des momies péruviennes.

— Vous êtes l'anthropologue chargée de cette affaire ?

— Absolument, ai-je répondu, copiant le ton guindé de mon interlocuteur. Je voulais savoir si vous pourriez me communiquer certaines informations sur ce cas. Sur l'importateur, notamment. Dominick Rockett.

Dew s'est permis un petit bruit de langue agacé.

— Monsieur ?

— Par importateurs, on entend les personnes qui respectent le règlement des douanes américaines, remplissent les documents requis et ne font entrer dans le pays que des marchandises autorisées. Aucune de ces définitions ne s'applique à M. Rockett, en ce qui concerne ces artefacts.

Ces artefacts ?

— Vos services ont-ils déjà eu affaire à M. Rockett ?

— Je ne suis pas autorisé à communiquer cette information.

D'accord…

De toute façon, je n'avais pas contacté Dew pour parler contrebande. Dans mon esprit, ses chiens péruviens devaient me servir de fil conducteur pour lui faire cracher des informations sur le sujet qui m'intéressait véritablement.

— Avez-vous des renseignements sur M. Rockett dont vous pourriez me faire part ?

— Je ne suis pas autorisé à divulguer quelque information que ce soit sur les affaires en cours.

Et je me contrefous de Dominick Rockett.

— Je comprends, monsieur. Tout à fait. Mais les momies de chiens n'entrent pas vraiment dans le cadre de nos activités quotidiennes. Je suppose que vous avez jeté un coup d'œil à celui qui a été partiellement déballé ?

Côté Dew, un silence encore plus évasif. Toutefois, un léger blanc dans sa respiration m'a donné à penser que j'arriverais peut-être à le décongeler.

— Ce chien est tellement bien conservé que je ne serais pas surprise de le voir ouvrir les yeux et réclamer sa pâtée ! (Accompagné d'un petit rire. Plus aimable que ça, tu meurs !)

— Vraiment ?

— Ces chiens représentent une saisie formidable pour votre service.

— Si je vous disais ce que nous saisissons, vous ne le croiriez pas.

Est-ce qu'un pète-sec de son acabit pourrait vraiment verser une larme ?

— Votre tableau de chasse est sûrement très impressionnant.

— Prenez les cornes de rhinocéros. Traditionnellement, ceux qui en faisaient contrebande les broyaient et dissimulaient la poudre à l'intérieur de statues ou d'autres objets creux. De nos jours, ils importent des têtes entières en les déclarant comme antiquités sur le plan juridique. Ils coupent les cornes, les remplacent par des produits de synthèse et pensent que le tour est joué. Ils nous prennent vraiment pour des imbéciles.

— Les chiens péruviens sont arrivés par Charlotte-Douglas, n'est-ce pas ?

— Le marché noir ne touche pas que les grandes villes. On saisit des objets de contrebande dans tous les ports d'entrée.

Dew s'amadouait un peu, mais pour ne révéler que ce qui était de notoriété publique. Air connu. Dans ma pratique, je recourais au même stratagème.

— Vous avez entendu parler de ces os de tyrannosaure qui ont été saisis dans le Nord ? a-t-il poursuivi.

— Pardon ?

— Un squelette presque complet en provenance du désert de Gobi. Ils les avaient listés sur deux formulaires différents, ces imbéciles. Comme si nous n'allions pas vérifier ! (Avec un reniflement de mépris.) Ils avaient déclaré des têtes de reptiles, des os fossiles brisés et deux ou trois lézards.

— D'où teniez-vous le renseignement ?

Je me suis mise à faire tournoyer un stylo sur mon sous-main.

— Ces objets étaient grandement sous-estimés. Mais ce qui nous a mis la puce à l'oreille, c'était le pays indiqué dans la case « Provenance ».

— Et de quel pays s'agissait-il ?

— L'Angleterre.

— Les célèbres tyrannosaures de la Tamise ?

— Exactement. Les Mongols s'en sont bien moqués. (Tout cela raconté sans l'ombre d'un rire.)

— Du bon boulot.

— La population n'imagine pas tout ce que l'ICE fait pour les relations internationales.

— J'imagine que le gouvernement péruvien doit être ravi que vous ayez récupéré leurs spécimens.

— Justement, à ce propos. Leur archéologue en chef a hâte de se voir restituer les échantillons. Il compte beaucoup sur votre compétence pour mener des analyses aussi peu invasives que possible.

— Bien sûr. J'ai bon espoir de parvenir à voir à la radio tout ce que j'ai besoin de savoir pour vous apporter une réponse.

Une longue pause a suivi. Puis :

— Je suppose que je peux vous révéler certains détails, puisque nous sommes partenaires dans cette affaire.

Les momies sont arrivées avec un fret de poteries. Apparemment, M. Rockett s'imaginait que nous ne saurions pas faire la différence entre des os et de la céramique.

— De l'amateurisme, vous ne trouvez pas ? Et ce M. Rockett est dans l'import depuis longtemps ?

— Depuis le début des années quatre-vingt-dix.

— Et pendant tout ce temps, il ne s'est jamais fait attraper avec des marchandises illégales ?

— Soit M. Rockett a été jusqu'ici parfaitement respectueux de la loi, soit il a été d'une grande prudence, soit encore il a bénéficié d'une chance extraordinaire. Mais si tel était le cas, sa chance a tourné. Les paquets ont été repérés au cours d'un contrôle aléatoire.

— Qu'est-ce qu'il donne comme explication ?

— Il prétend avoir acheté ces momies à un fermier. Son fils les aurait déterrées dans un terrain lui appartenant.

— Pourquoi prendre le risque de se lancer dans la contrebande d'antiquités quand on possède une affaire d'import qui marche bien ?

— M. Rockett soutient qu'il n'avait pas la moindre idée qu'il s'agissait d'antiquités.

Là, petite hésitation dans le discours de Dew, qui s'est traduite par un son tenant à la fois du chuintement et du claquement de langue. L'agent des douanes se demandait sans doute s'il devait m'en dire plus ou s'arrêter là.

— Et vous-même, docteur Brennan, que savez-vous de M. Rockett ?

— Juste que c'est un collectionneur qui fait également commerce d'objets indigènes et de produits artisanaux en provenance d'Amérique du Sud.

— L'avez-vous déjà rencontré ?

— Non.

— Ni même vu de loin ?

— Non. (Bizarre, toutes ces questions…)

— M. Rockett a participé à l'opération Tempête du désert, en 1990.

— Pendant la première guerre du Golfe ?

— Je ne sais pas exactement ce qui lui est arrivé, un Scud ou l'incendie d'un pipeline, mais le fait est qu'il porte les traces d'affreuses brûlures.

Je n'ai rien dit.

— La guerre est une chose cruelle, docteur Brennan. Quand il est revenu au pays complètement défiguré, plus personne n'a voulu l'embaucher. En raison de son aspect, du moins en est-il persuadé. En tout état de cause, cela a été un choc pour lui.

Je n'ai pas davantage réagi.

— Frustré de ne pas trouver d'emploi, M. Rockett s'est rappelé les souks du Moyen-Orient, avec toutes leurs babioles vendues pour trois fois rien. Des bijoux. Des vêtements. Des objets de la vie quotidienne. Il a imaginé d'importer des trucs de l'étranger et de les revendre ici dix fois plus cher. De la camelote pour zozos qui n'y connaissent rien.

— M. Rockett ne touche pas de pension militaire ou d'invalidité ?

— Bien sûr que si. Mais son affaire d'import lui rapporte une jolie somme.

— Et ces momies provenant du Pérou ?

— Il y a quelque temps, M. Rockett a porté son attention sur l'Amérique du Sud.

— Pour quelle raison ?

— Que sais-je ? Proximité géographique, approvisionnement facile, sécurité personnelle ? Je ne saurais le dire avec précision.

Un froissement de tissu m'est parvenu. Je me suis représenté un Dew impeccablement vêtu haussant les épaules.

— Et ces temps-ci, les Américains ne sont pas accueillis à bras ouverts, au Moyen-Orient.

— Les soulèvements, les révolutions, les guerres civiles, les enlèvements, bref l'instabilité politique a toujours des répercussions négatives sur le monde des affaires. L'Amérique du Sud a dû lui paraître plus attrayante que ce Moyen-Orient en plein bouleversement.

— Je peux vous poser une question ? ai-je demandé sur un ton décontracté, comme si cette idée venait seulement de me traverser l'esprit. Nous avons chez nous une fille de quatorze-quinze ans, peut-être hispanique, peut-être sans papiers, qui a été fauchée par un chauffard la nuit dernière près d'Old Pineville Road. Morte sur le coup. Nous avons du mal à l'identifier.

— Ouais… ?

— Elle avait un petit sac rose en forme de chat et une barrette de la même couleur dans les cheveux. Elle portait une mini-jupe en jeans, une chemise rouge et des bottes brodées sur les côtés.

— Jusque-là, cette description peut s'appliquer à n'importe quelle ado. Qu'est-ce qui vous fait croire qu'il pourrait s'agir d'une immigrée clandestine ?

— Le fait qu'elle n'ait sur elle aucun papier d'identité ni même de clés. Dans son sac, il y avait un prospectus en espagnol. Pour des cours d'anglais dans une église catholique où l'on célèbre des messes en espagnol. Du coup notre enquêteur a pensé qu'elle était peut-être hispanique.

— Désolé, mais je m'occupe des objets, pas des personnes. Ma spécialité, c'est l'importation illicite, le trafic de biens culturels et d'œuvres d'art. Sa présence dans le pays ne saurait concerner nos services, à moins qu'il n'ait été établi avec une certitude raisonnable qu'elle est entrée clandestinement sur le territoire.

— Pourriez-vous vous renseigner auprès d'un collègue ?

— Je vous aiderais volontiers si je le pouvais. Mais si votre victime était une sans-papiers… Et même alors…, a-t-il ajouté d'une voix bizarrement absente, comme s'il était déjà passé à autre chose. Il ne faudrait pas croire que nous tenons la liste de toutes les personnes entrées illégalement dans le pays. Loin de là. Désolé.

— Je comprends.

— Quand pensez-vous achever votre examen des momies ?

— Ça ne devrait pas me prendre très longtemps.

— Auriez-vous l'obligeance de me tenir informé du résultat ?

— Je n'y manquerai pas, agent Dew. Et merci de m'avoir consacré un peu de votre temps.

J'ai raccroché. Mes doigts se sont attardés sur le récepteur.

Ma frustration était telle que j'en avais les nerfs en boule.

Journée de merde… Dew ne m'avait absolument rien appris. Quant à Slidell, il se cramponnait à sa théorie. Mieux valait en rester là pour aujourd'hui.

Mais, de nouveau, cette pensée lancinante : et si j'étais passée à côté d'un élément essentiel ?

Sans l'avoir vraiment décidé, je me suis dirigée vers la chambre froide. Dans le silence, mes semelles en caoutchouc couinaient à chacun de mes pas. À peine ouverte la lourde porte d'acier, une bouffée d'air froid et une odeur de chair réfrigérée m'ont enveloppée. J'ai allumé la lumière.

Six civières le long des murs, trois supportant des housses mortuaires avec un corps à l'intérieur. Vérification des étiquettes à la recherche de celle portant la mention MCME 580-13. *Inconnu.*

Une chance que les proches des défunts conservés chez nous ne sont pas autorisés à pénétrer dans cette salle glacée ! Aucune mère n'a jamais vu son enfant congelé de la sorte. Aucun mari n'a jamais aperçu sa femme désignée par une succession de lettres et de chiffres.

J'ai repris mon souffle. Et entrouvert le sac MCME 580-13. Les cheveux de la fille, jaunes et emmêlés, ressemblaient à un paquet d'algues échoué sur son front.

Leur couleur ne correspondait ni à son teint olivâtre ni à ses sourcils et ses cils qui étaient noirs. J'ai regardé de plus près : à la racine, une bande noire d'un demi-centimètre.

Elle se teignait les cheveux. Se pouvait-il que Slidell ait vu juste ?

Machinalement, j'ai écarté de son visage les mèches rebelles. La barrette rose s'est détachée et a glissé à côté de sa tête.

Vision de ma Katy. Ses boucles blondes séparées en couettes et les mèches vagabondes retenues par une barrette en plastique.

J'ai récupéré la seule possession au monde de cette jeune fille et la lui ai fermement remise en place.

Ma main s'est attardée sur elle comme tout à l'heure, sur le combiné du téléphone.

— Je te le promets, ai-je murmuré, avec l'impression de parler d'une voix aussi fragile que du verre dans cet espace confiné et glacé. Je retrouverai ta famille. Je te renverrai chez toi.

J'ai plongé la main dans ma poche à la recherche de mon iPhone pour prendre une photo de son visage.

Vide.

Le téléphone était dans mon sac.

Dans ma voiture.

Dans le stationnement du palais de justice.

Dans cette voiture que je ne pouvais pas aller récupérer, ne disposant d'aucun moyen de transport.

Dans cette voiture que je ne pouvais pas conduire, n'ayant pas la clé pour ouvrir la portière.

J'ai étouffé un juron et me suis rabattue sur un appareil Polaroid. La photo prise, je suis restée encore un moment auprès de la jeune fille à étudier ses traits en silence. Puis j'ai refermé la housse.

De retour dans mon bureau, j'ai scanné la photo et me la suis envoyée à moi-même par courriel. Après quoi, j'ai farfouillé dans mes tiroirs dans l'espoir d'y dénicher une vieille barre aux céréales ou des craquelins au beurre d'arachides. Mon repas du midi au palais de justice s'était résumé à une malheureuse Snickers.

Résultat nul.

Génial. En rentrant à la maison, affamée et les mains vides, j'allais me retrouver en face d'un frigo désertique et d'un chat furieux.

Je cherchais des serruriers sur Google quand le téléphone a sonné. Ce coup de fil a totalement bouleversé mon programme.

Chapitre 7

D'habitude, entendre la voix de Pete ne me fait pas grimper au rideau. «Pete», c'est-à-dire : Janis Peterson. Mon ex. Enfin, plus ou moins. Histoire compliquée. J'étais au collège quand je suis tombée amoureuse de lui. Pete était en dernière année de droit et avait une réputation bien établie de tombeur. Séduisant, charmeur, plein d'esprit et un avenir prometteur. Beau parleur, aussi.

Notre mariage a marché comme sur des roulettes pendant près de vingt ans. Et il est probable que nous ferions encore route ensemble s'il ne s'était mis à prodiguer ses faveurs à droite et à gauche.

Plus tard, une fois que le temps a eu apaisé ma colère et la douleur de la séparation, j'ai pu mettre une croix sur tout cela — une vraiment très grande croix — et recommencer à apprécier sa compagnie. Au salon, pas dans la chambre à coucher. Même s'il a pu arriver que les braises s'enflamment à nouveau, pour ne rien vous cacher.

Comme de nombreux couples séparés, Pete et moi sommes en relation permanente. À cause de notre fille, Katy, bien sûr. Et des animaux. Quand Pete est en voyage, j'invite son chien Boyd chez moi. À l'inverse, quand je dois quitter la ville, mon chat Birdie déménage chez lui. Garde partagée qui nous fait le plus grand bien à tous.

Au fil des ans, j'ai appris à décrypter, au seul ton de sa voix, si Pete appelle pour parler de Katy ou du transfert d'un animal. Ou si, en bon papa-gâteau, il a accepté de jouer les courroies de transmission et va me présenter une demande de Katy.

Ce soir, la conversation promettait de sortir de l'ordinaire.

D'abord, parce que Pete ne m'appelle jamais au numéro du bureau et que, immédiatement, s'est imposée à moi l'image de la fille enfermée dans sa housse mortuaire, de l'autre côté du vestibule. Cette malheureuse qu'un chauffard avait abandonnée à une mort certaine.

Oh mon Dieu!

Les doigts serrés à mort sur le combiné, je me suis exclamée :

— Que se passe-t-il ? Il est arrivé quelque chose à Katy ?

— Relaxe, elle va très bien. Mais toi, où avais-tu disparu ? Je t'appelle depuis midi.

— C'est une longue histoire… Sans intérêt. Tu es sûr que Katy va bien ?

— Je l'ai eue sur Skype ce matin. C'était le soir, là-bas. Son unité revenait d'un entraînement.

— Elle avait l'air en forme ?

— Tendue. Fatiguée. Difficile à dire, il y avait toute une bande de GI qui faisait la foire à côté.

L'année dernière, à cette époque, Katy était encore recherchiste au Bureau du procureur. Elle pestait contre son boulot, disait qu'elle en avait par-dessus la tête, mais, au moins, ce boulot-là la gardait saine et sauve à Charlotte. Son bonheur dans la vie, c'était son petit copain et proprio, Aaron Cooperton, parti à l'autre bout du monde et qui devait rentrer sous peu. En effet, après le collège et un passage dans le Peace Corps, Aaron s'était engagé comme bénévole en Afghanistan au côté du Comité international de secours. Mais voilà, son convoi avait sauté sur une mine alors qu'il regagnait Kaboul pour prendre l'avion et revenir auprès de sa belle.

Katy avait été bouleversée par sa mort. Et cela d'autant plus que la famille Cooperton, ignorant les liens qui l'unissaient à leur fils, l'avait systématiquement tenue à l'écart de toute cérémonie. Les funérailles s'étaient déroulées à Charleston, dans la plus stricte intimité.

Privée d'un soutien qui l'aurait aidée à tourner la page, comme de la possibilité d'extérioriser son chagrin, Katy dépérissait. Le matin, elle se levait les yeux rouges et se traînait comme une âme en peine tout au long de la journée. Je l'écoutais, je faisais de mon mieux pour la réconforter. Je l'avais même emmenée avec moi à Hawaï où j'avais été appelée sur une affaire. Sans résultat. J'en étais malade de la voir dans cet état.

Peut-être aurais-je dû me douter de ce qui allait arriver.

Subitement, elle était de nouveau apparue étincelante de vie. Ses cernes sous les yeux s'étaient estompés. Elle avait même retrouvé son petit mouvement arrogant du menton. Quand elle passait me voir, ce n'était plus pour rester de longues heures prostrée, mais juste quelques instants, entre deux rendez-vous.

Elle s'était engagée dans l'armée. C'est Pete qui me l'avait appris. Par téléphone. Un appel du genre de celui de ce soir. Katy avait gardé le plus grand secret sur son projet jusqu'à ce que tous les papiers soient signés.

— Ne t'inquiète pas, m'avait-elle dit quand elle m'en avait enfin informée. Je ne participerai pas aux combats.

Tu parles !

Car le 14 mai 2012, pour la première fois de son histoire, l'armée américaine a autorisé les femmes à intégrer deux unités d'artillerie, l'HIMARS, ou High Mobility Artillery Rocket System, autrement dit un dispositif de lance-roquettes destiné aux systèmes de fusées à grande mobilité, et le MLR, destiné aux systèmes de lancement multiple. Au début de l'année 2013, l'interdiction faite aux femmes de participer aux combats a été levée.

À la fin de son BCT, la préparation de base au combat, Katy avait demandé à effectuer sa MOS, sa formation militaire supérieure, au sein du MLR. Ensuite, une fois achevée sa période de formation avancée, elle était partie pour l'Afghanistan.

En tant que FAC, femme au combat.

Je suis championne à ce petit jeu-là des acronymes depuis que j'ai travaillé comme consultante pour le JPAC, le laboratoire central militaire d'identification des restes, basé à Hawaï.

J'ai reporté mon esprit sur la conversation en cours.

— Mais, dis-moi, elle avait l'air comment ?

— Remonté. Parlait de suivre la même formation que les hommes. Artillerie. Pelotons de canon d'assaut…

— Oh mon Dieu !

— Ça ira, c'est une coriace. Elle s'en sortira.

— Tu as raison. C'est juste que…

— Je sais, ma petite culotte en sucre. Tu côtoies la mort violente tous les jours.

— M'appelle pas comme ça !

— Elle finira général, tu verras.

— Tu crois qu'elle a décidé de faire carrière dans l'armée ?

— Ce n'est pas ce que je voulais dire.

— À ton avis, pourquoi a-t-elle refusé d'intégrer l'école des officiers alors qu'elle a déjà deux années d'université derrière elle ?

— Parce que ce n'était pas d'actualité à ce moment-là.

À l'évidence, Katy n'était pour rien dans le coup de fil de Pete. Si cela avait été le cas, il m'aurait appelée immédiatement après l'avoir eue en ligne. J'ai donc attendu qu'il aborde le sujet. Pour le moment, il finassait :

— Alors, tu me sers la version longue ?

Vraiment ?

Je lui ai résumé mes aventures au palais de justice. J'en arrivais à la fille écrasée par le chauffard, quand il m'a interrompue :

— Si je comprends bien, une journée de merde. Ça te dirait de dîner avec moi ?

— Un événement à célébrer ? (Méfiance avant tout…)

— Parce que j'ai besoin d'une raison pour inviter ma future ex-femme à dîner ?

Oh, oh, je le voyais venir avec ses gros sabots. Et je n'étais pas d'humeur à me laisser embobiner.

— Si c'est pour me demander de jouer les organisatrices de mariage pour Summer, il n'en est pas question.

Vers la quarantaine, la plupart des hommes rêvent de posséder une voiture de sport, gage de leur réussite. Pete, lui, avait choisi pour trophée une femme. Et c'était sur une bimbo de vingt ans plus jeune que lui que mon futur ex avait jeté son dévolu, faisant fi de sa cinquantaine bien tassée. Summer. Premier prix dans la catégorie gros nichons. Dernière de la classe pour le QI.

— Tu la connais, a déclaré Pete maladroitement.

Et que trop bien ! J'avais déjà servi de médiatrice entre sa Bridezilla et lui. Une fois. On ne m'y reprendrait plus. Essuyer les tirs des deux côtés, très peu pour moi.

— Elle a besoin de conseils.

Elle a besoin d'une muselière et d'une flèche anesthésiante. Mais ça, je l'ai gardé pour moi.

La date de ce mariage d'enfer, déjà reporté deux fois, se rapprochait dangereusement. Au bas mot, cinq millions d'invités étaient attendus. Amis d'école, amis de boulot, amis d'amis. Facebook pouvait aller se rhabiller.

— Le mariage est dans moins de deux semaines.

— Rappelle-moi demain. D'ici là, elle aura changé d'idée.

— Elle panique.

— File-lui un Valium.

— Elle t'adore !

— Écoute, Pete. Summer, c'est ton problème, pas le mien.

— Je sais, je sais. C'est juste que, cette semaine, j'ai des conclusions à déposer tous les jours, et j'ai aussi un procès le jour même de notre retour de Tahiti. Entre le casting des photographes et les cartes de remerciements dont le choix n'a toujours pas été arrêté, je passe mon temps à courir. Tous les jours, c'est la panique.

Du Pete tout craché ! Pendant vingt ans, j'ai pris sur moi la quasi-totalité de l'éducation de notre fille parce que l'emploi du temps de Monsieur passait avant tout le reste. Rendez-vous chez le dentiste, l'orthodontiste, le médecin, gym, danse, natation, sans compter les trajets en voiture. Tout cela a pesé sur mes seules épaules.

Si, ces derniers mois, tu ne t'étais pas uniquement concentré sur le cirque que te concoctait ta fiancée encore en âge de boire au biberon, tu aurais peut-être remarqué que ta fille était sur le point de prendre une dangereuse décision !

Mais ça non plus, je ne l'ai pas dit. J'ai attendu en rongeant mon frein qu'il raccroche pour appeler un taxi.

— Tempe, tu m'écoutes ? J'ai besoin des papiers.

Ah oui, l'accord de divorce. Je l'avais signé mais pas remis à Pete. Ça ne m'aurait pas demandé un gros effort, pourtant. Alors, pourquoi remettais-je perpétuellement cette tâche au lendemain ?

— Oui, bien sûr. Il est sur mon bureau à la maison. Il y a des siècles que j'aurais dû te le donner. Excuse-moi. Bien sûr, passe le chercher quand tu veux. Inutile de m'inviter à dîner pour ça.

— Mais je tiens à t'inviter à dîner.

Je commençais à protester. Pete m'a coupée.

— Je te prends devant la porte. Et promis. Pas un mot sur le mariage.

— Je ne crois pas que…

— De toute façon, comment est-ce que tu comptais rentrer chez toi ?

Décroche, Pete.

Chapitre 8

Quinze minutes plus tard, un cabriolet BMW dernier modèle s'arrêtait le long du trottoir. Rouge dehors, cuir noir dedans.

Bagnole-trophée, bimbo-trophée… D'un pathétique à vous faire lever les yeux au ciel! Pour une fois, je n'ai pas succombé à cette manie-là.

Pour ce qui est de la mode, les goûts de mon ex sont plus discutables. «Cool et confortable», telle est la devise qui le guide dans ses choix vestimentaires. Résultat: c'est un inconditionnel des polos et des pantalons en toile. Les seules entorses à cette règle ont lieu les jours d'audience au tribunal. Il endure alors veston et cravate.

Voilà pourquoi en le voyant aujourd'hui en pantalon de flanelle bleu marine, veste de sport et chemise bleue, j'ai senti mes sourcils remonter jusqu'à la racine de mes cheveux. Oui, bon, il avait quand même les pieds nus dans ses chaussures sport.

— On est chic! ai-je dit en me laissant tomber sur le siège passager.

— Je dîne en charmante compagnie.

Malgré moi, mes yeux ont effectué un tour complet dans leurs orbites.

— Beau bolide, ai-je réussi à articuler sur un ton dégagé.

— Une aubaine, surtout.

— Mmm.

— Je suis allé à Asheville pendant le week-end. Elle ronronnait comme un chaton. Summer poussait des petits cris à tous les virages en épingle à cheveux. J'ai bien failli crier moi aussi une ou deux fois.

Des petits cris partout, partout.

— Monte de zéro à cent en moins de temps qu'il n'en faut pour le dire.

Les voitures, je m'en fiche, et Pete le savait bien. Il tournait autour du pot pour éviter le sujet du mariage.

Il a jailli du stationnement comme un boulet de canon. Virages à gauche, à droite, à gauche. J'y ai survécu en me cramponnant à l'accoudoir.

— Ouais, de zéro à cent, ai-je dit avec le sourire.

— Attends un peu d'entendre la sono !

Pete a tapé sur quelque chose et *Payphone* des Maroon 5 nous a enveloppés dans un nuage sonore mouvant qui rendait toute communication impossible.

Juste après le campus de Queens University, Pete a bifurqué dans l'allée menant à Sharon Hall. Il est passé à toute vitesse sous le tunnel des vieux magnolias, devant le manoir blanc à colonnes et s'est arrêté dans le stationnement, entre la remise à calèches et l'Annexe, en un sublime dérapage contrôlé qui a soulevé une gerbe de gravier. Il a tourné la tête vers moi et m'a fait son numéro de frétillement des sourcils signé Groucho Marx.

— Pas mal…, ai-je dit en défaisant ma ceinture de sécurité.

— Je t'attends.

— Il faut que je prenne une douche.

— Ne te presse pas, j'ai tout mon temps.

J'ai tendu la main.

Pete a retiré les clés du contact, en a prélevé une du trousseau et me l'a tendue.

— Merci, ai-je dit, la main déjà sur la poignée.

— Tempe.

— Oui ?

— Ne l'enferme pas dans la maison.

Je ne m'étais pas extraite de la voiture qu'il avait déjà son téléphone à l'oreille.

L'Annexe a beau être plus petite qu'une maison de poupée, elle me convient parfaitement. À l'étage, ma chambre et sa salle de bains; en bas, le salon, la salle à manger, la cuisine, le bureau/chambre d'amis et un cabinet de toilette. À l'arrière, un jardin; devant, une bande de gazon avec une terrasse sur le côté.

Je suis entrée par la cuisine et j'ai allumé la lumière.

— Bird?

Pas de chat.

— Allez, viens, mon garçon.

Rien. Juste un léger tic-tac en provenance du salon.

C'est là que j'ai trouvé Birdie, sous le buffet où trône l'horloge de ma grand-mère. À ce qu'on prétend, les chats ne possèdent pas les muscles faciaux permettant de changer d'expression. Peut-être, mais le message que m'adressait Birdie était clair comme le jour.

— Tu m'en veux?

Il a attendu un moment, puis s'est levé. Il a pris le temps de s'étirer avant de s'avancer vers moi. Cool, mais attendant mes explications. Et son repas.

Je me suis penchée pour le gratter derrière les oreilles, là où sa fourrure est toute blanche.

— Désolée, champion, mais le menu de ce soir ne sera pas à la hauteur de tes espérances.

À la cuisine, j'ai pris deux œufs dans le frigo, y ai mélangé des sardines, puis j'ai fait chauffer la mixture jusqu'à l'obtention d'une masse solide que j'ai versée dans son bol.

L'avantage avec Birdie, c'est qu'il n'est pas rancunier. Mes péchés pardonnés, il a plongé la tête dans son bol.

Depuis le temps que je traîne avec des cadavres décomposés et toutes sortes de produits toxiques, je suis devenue championne en matière de toilette. Ma collection de savons, gels et lotions pourrait rivaliser avec celle d'un institut de beauté. Ce soir, j'ai attrapé la première bouteille qui m'est tombée sous la main. Cinq minutes plus tard, j'étais impeccablement pomponnée et j'embaumais le pamplemousse.

Birdie est venu aux renseignements tandis que je m'interrogeais sur la meilleure tenue à porter pour remettre un accord de divorce à un futur ex. Nos regards se sont croisés.

— Au diable !

Ce serait jeans et tee-shirt noir, boucles d'oreilles en coquillage vert pâle et veste en coton noir.

— Qu'est-ce que tu en penses ?

Le chat a incliné la tête sans me proposer le moindre avis.

Je suis descendue dans le bureau à toute vitesse, Birdie sur les talons. Il s'est mis à faire des huit entre mes jambes pendant que je prenais le papier sur ma table.

Coup d'œil à ma montre. Vingt bonnes minutes que Pete poireautait.

Le chat a fait le gros dos, la queue en point d'interrogation. Je l'ai gratté derrière les oreilles et j'ai ajouté une petite dose de caresses sur le dos.

Pete était toujours au téléphone quand j'ai ouvert la portière de la BM.

— Couvre-toi bien le nez pendant que tu pulvérises. (Une pause.) OK, mais maintenant, faut vraiment que j'y aille. (Pause plus courte.) Oui, je te rappelle juste avant de rentrer. Je t'aime aussi. (À voix basse.)

— Désolée. Birdie…

— *No problemo*. L'Ale House, ça te va ?

— Bien sûr.

En réalité, ça ne m'allait pas du tout. Des télés immenses. Des fans de sport, foot ou autre, qui se lamentent ou hurlent des encouragements. Niveau sonore : quatre-vingt-cinq décibels.

— Summer se paye une invasion de sauterelles ?

Pete m'a regardée d'un air ahuri.

— Qu'est-ce qu'elle pulvérise, alors ?

— Elle peint des bouteilles anciennes à la bombe aérosol. Pour servir de centres de table… Ou de je ne sais quoi. C'est censé être du plus bel effet artistique.

Les bouteilles, maintenant. Tout pour éviter le sujet mariage !

Un bref tonnerre de Bob Marley, et nous étions déjà rendus à la Carolina Ale House, un lieu extravagant situé au rez-de-chaussée d'une tour de verre, en plein cœur de la ville. Pete a réussi à obtenir une table loin du bar. Un coin pas vraiment tranquille, mais où l'on pouvait encore s'entendre un peu.

Le sourire de la serveuse à l'adresse de mon ex a produit plus de dents qu'une scie sauteuse. Pour ma part, je n'ai eu droit qu'à un contact visuel d'un millième de seconde et à un marmonnement : April. Son prénom.

— Une Fat Tire ? a-t-elle demandé à Pete en lui décochant un autre de ses sublimes panoramiques dentaires.

— Bonne mémoire, a répondu celui-ci avec ce geste des doigts qui évoque un pistolet.

J'ai demandé un Perrier limette.

Pete a choisi les travers de porc, moi le steak frites.

La commande passée, j'ai sorti les papiers de mon sac et les ai posés devant lui. Il s'est contenté de leur jeter un coup d'œil, sans même esquisser le geste de les ramasser.

Un ange est passé au-dessus de notre table et s'y est attardé, bulle de paix au milieu du vacarme. Ces malheureuses pages… Si peu de mots pour conclure un amour qui avait engendré tant d'espoirs, tant de rêves et une fille formidable. Un amour détruit par une trahison.

Une cérémonie aurait dû accompagner ce moment. Démariage ? Rite de dissolution ? Quelque chose allant au-delà de cette « convention de divorce par consentement mutuel ».

Ne serait-ce qu'un formulaire avec de plus jolis caractères d'imprimerie.

— Désolée d'avoir autant traîné, ai-je dit pour rompre ce silence pesant. Je n'ai pas d'excuse. J'aurais dû…

— Ce n'est pas grave, petite culotte en sucre. Du moment que ces papiers sont chez le juge avant midi.

— Ne m'appelle pas comme ça. (Par réflexe.)

— OK. Mon petit chou. (Avec son bon vieux sourire.)

Pete a rangé les papiers dans la poche de son élégante veste et m'a tapoté la main.

Cette caresse… Sa peau sur la mienne… Sensations tellement familières.

Rester en terrain neutre.

— Et votre affaire de mort suspecte, maître ? Elle avance comme vous le voulez ?

— Je le saurai demain matin. Quand le médecin aura témoigné.

Après cela, j'ai parlé du procès au criminel auquel j'avais échappé. Lui, de sa dent qui lui faisait mal.

Par chance, April est arrivée avec nos boissons. Pete a soufflé sur la mousse de sa bière. J'ai bu une gorgée de Perrier.

— Et toi ?… Comment ça va avec Monsieur Le Dick ? a-t-il demandé après un silence gêné.

Monsieur Le Dick, le surnom dont Pete affuble Andrew Ryan, un lieutenant-détective de la Section des crimes contre la personne, à la Sûreté du Québec. Mon collègue quand je travaille à Montréal comme consultante pour le Laboratoire des sciences judiciaires et de médecine légale. Mon amant de temps à autre. Autre, pour le moment. Pour toujours ?

— Ça va.

— *Bônne*, a-t-il prononcé en tentant de dire « bon ».

— Ne parle pas français, Pete.

Et ne pose pas de questions sur Ryan… Ne me force pas à exprimer tout haut l'inquiétude que m'inspirent sa froideur actuelle, la distance qu'il met entre nous depuis quelque temps.

Si c'était vraiment fini entre Ryan et moi, la séparation ne serait pas aussi difficile qu'avec Pete. Il n'y aurait pas d'amertume, pas d'angoisse. Pas de fille sidérée exigeant une explication. Pas de déménagement, de partage des biens, de queue au bureau de l'état civil pour inscrire le changement d'adresse. Avec Ryan, cela se bornerait à une sombre traînée de tristesse.

Pour autant, je ne pouvais pas en parler, c'était au-dessus de mes forces. Ni même y penser. Je me suis rabattue sur mon travail ici.

— Je croule sous le boulot en ce moment.

— Des cas intéressants ?

— Quatre momies de chiens en provenance du Pérou.

Pete a haussé un sourcil interrogateur.

Je lui ai expliqué que les colis avaient été saisis par les douanes à l'aéroport de Charlotte.

Arrivée des plats. Pendant un moment nous nous sommes concentrés sur le sel, le poivre, la sauce du steak, la crème sure et le ketchup. April m'a demandé si je voulais plus de glace dans mon verre. J'en avais bien besoin.

Sans raison, mes pensées sont allées à la petite dans la chambre froide. Et j'ai embrayé :

— On a aussi une ado. Écrasée par un chauffard dans la nuit d'hier, près d'Old Pineville Road.

— Pauvres parents.

— On ne peut même pas les prévenir, on ignore son nom.

— *Jesus.* C'est Larabee qui s'en occupe ?

J'ai hoché la tête.

— On a plusieurs pistes. Si Slidell veut bien se bouger le cul. Dans son esprit…

— Qui est étroit.

J'ai souri.

— Dans son esprit étroit, on a affaire à une immigrée clandestine qui fait le trottoir.

— Il a des preuves ?

— Un sac à main rose, des traces de piqûres sur le bras et des dents pourries.

— C'est tout ?

— Des cheveux décolorés, un teint olivâtre et un papier en espagnol dans son sac.

— Skinny pense qu'elle vient de l'autre côté de la frontière ?

J'ai fait signe que oui.

Pete a éclaté de rire en secouant la tête. Il avait rencontré Slidell et savait combien ce type pouvait être borné.

Dans le bistrot, la clameur a subitement baissé de plusieurs crans. Puis un gémissement sorti d'une multitude de gorges a rempli la salle. Ça n'allait pas fort pour l'équipe qui jouait à domicile.

Pete a reposé ses couverts et s'est s'essuyé la bouche. Il ne restait plus un gramme de viande à ronger sur ses travers de porc.

— Je peux te faire une confidence ?

— Bien sûr.

— C'est à propos d'un ami, Hunter Gross, je ne crois pas que tu le connaisses. Son neveu, John, est sous-lieutenant dans les marines.

— *Semper fi !* ai-je déclaré, salut militaire à l'appui.

Cette devise des marines, c'est Pete qui me l'a apprise. Il a fait son service militaire dans ce corps d'élite. Il garde dans son bureau un petit drapeau de son unité monté sur socle et, tous les ans, le 10 novembre, c'est avec d'anciens copains de l'OCC qu'il fête son anniversaire.

— Jusqu'à ces derniers mois, a-t-il continué, John était chef de peloton en Afghanistan. Si j'ai bien compris, l'histoire s'est passée dans un petit village qu'il avait pour ordre de fouiller avec ses hommes.

Pete s'est interrompu, une drôle d'expression sur ses traits.

— Je ne connais pas tous les détails, mais ils ont été accusés d'avoir tué des civils non armés.

— *Jesus.*

— D'après Hunter, John ne peut pas être coupable, c'est impossible.

— Hunter, c'est ton ami, l'oncle du soldat ?

— Oui.

— Et toi, tu penses quoi ?

— Je ne sais pas. Je ne le connais pas personnellement. C'est un bon marine, paraît-il. Il voulait faire carrière dans l'armée.

— Il est où, maintenant ?

— À Camp Lejeune où il attend la fin de l'enquête.

— Il a été relevé de ses fonctions ?

Pete a hoché la tête.

— C'est dur, ai-je lâché, histoire de dire quelque chose.

— Ouais. Pour sa famille, c'est l'enfer.

Tueur de sang-froid ? Mauvais chef de peloton ? Bon soldat qui prend la mauvaise décision dans le feu de l'action ? Pas facile de trancher.

Et tout ça en Afghanistan. Là où Katy était en poste.

Pete a roulé sa serviette en boule. Puis il m'a regardée, devinant mes pensées.

— Katy, n'est-ce pas ?

À quoi bon répondre ?

— Elle est simple soldat. Elle n'a pas pour mission de conduire qui que ce soit où que ce soit.

— Elle est dans l'artillerie.

— Justement, derrière la ligne de front.

— D'où elle balance des roquettes sur ces gens qui nous haïssent.

— En Afghanistan, tout le monde ne déteste pas les Américains.

— Je sais. Mais la vie est faite de tant d'imprévus, là-bas. Elle peut se faire tuer en allant au mess prendre son petit-déjeuner.

— Moi aussi.

— Tu comprends ce que je veux dire.

— Katy est de la race des survivants.

Il a dit cela avec tant de certitude que j'ai été presque tentée de le croire.

Mais tout de suite après, d'autres images de Katy ont réactivé mon angoisse : Katy étendue dans un Humvee en flammes sur une route sinistre, dans le désert.

Katy enfermée dans une housse mortuaire.

Comme la jeune fille dans la chambre froide.

Elle aussi, elle avait une mère quelque part. Une mère qui se demandait où elle était et pourquoi elle ne donnait pas de nouvelles. Cette mère, avait-elle auprès d'elle quelqu'un qui la berçait de paroles rassurantes ?

J'ai terminé mon Perrier d'un trait. Ce n'était quasiment plus que de la glace fondue.

— Ma voiture ?

— On y va.

Pete a mimé le geste d'écrire en direction de la serveuse. April et ses dents sont réapparues avec l'addition.

Comme d'habitude, plongeon de part et d'autre de la table vers le bout de papier. C'est Pete qui l'a saisi en premier. Il a payé en liquide en ajoutant un pourboire suffisant pour financer une campagne présidentielle.

Cinq minutes de Rihanna, et nous étions dans le stationnement du palais de justice. Je suis descendue de voiture et j'en ai fait le tour pour venir du côté de Pete. Il a baissé sa vitre.

— Et voilà. À partir de demain, nous serons officiellement des gens libres.

Dieu du ciel ! Avais-je vraiment prononcé ces mots ?

— Eh oui. (Pete, sur ce même ton gêné.)

Étreinte maladroite par la fenêtre. Un peu trop prolongée ?

— Je vous souhaite le meilleur, à Summer et à toi.

— Merci. On garde le contact ?

— Bien sûr.

— Tu veux que j'attende jusqu'à ce que tu aies récupéré ta voiture ?

— Je ne suis pas un bébé.

— Non, juste nulle avec les clés.

J'ai sorti de ma poche le double que j'avais pris dans mon bureau et j'ai rendu à Pete la clé de la maison qu'il m'avait prêtée.

L'instant d'après, il avait disparu.

Mon sac était toujours dans la Mazda. Ainsi que ces chaussures détestées.

Un bruit assourdi me parvenait de la rue en dessous : le souffle des voitures qui filaient dans Fourth Street ; un ivrogne qui gazouillait *Lucy in the Sky*.

J'ai laissé tomber le jeu de clés dans mon sac, puis j'en ai sorti mon téléphone.

Slidell a répondu à la troisième sonnerie.

— *Yo*, doc.

En fond sonore, la description des passes d'une partie de baseball.

— Vous en êtes où avec la victime du chauffard ?

— Demain…

— Vous avez interrogé le voisinage ? Il y a des magasins le long d'Old Pineville…

— Comme je vous l'ai dit…

— Des ateliers de carrosserie.

— Je suis sur le coup.

— Les boutiques de vêtements et de chaussures ?

— Ouais, je sais.

— Les cliniques ?

Silence, en guise de réponse.

— Vous êtes passé à Saint-Vincent-de-Paul ?

— Je m'en occupe aussi.

— D'accord, mais quand ?

L'attitude je-m'en-foutiste de Slidell m'exaspérait.

— Écoutez, on a rien de rien, et on aura rien de plus. *Nada*. Si la fille est sans papiers, personne va se manifester. Et si elle faisait le trottoir, personne va se manifester.

Slidell avait raison, je le savais bien au fond de moi. Mais quand même.

— Et si on publiait sa photo dans le journal ?

— Vous avez entendu ce que je viens de dire ?

— Ça ne peut pas faire de mal.

— Comme de lancer des crottes de bique dans la mer. (Long soupir.) J'essaie pas de vous faire abandonner. C'est juste que tout à l'heure, on m'a refilé une disparition inquiétante, et le maire suit l'affaire de près. Une mère célibataire avec deux enfants, employée à temps plein dans une pharmacie. Le chef me lâchera pas tant que je l'aurai pas retrouvée.

Sur ce, silence au bout de la ligne.

Irritée, je me suis calée au fond de mon siège. Je n'étais pas vraiment découragée, je connaissais Slidell. S'il est parfois lent à démarrer, en général il tient la course jusqu'au bout. Sauf quand il est préoccupé. Quand on lui met la pression avec des affaires de personne disparue, par exemple.

L'image de la fille avec sa barrette rose s'est imposée à moi.

Puis celle de Katy la dernière fois où je l'avais vue. À Fort Hood, le jour de la remise des diplômes, après sa formation de base aux combats. Fini, le temps des barrettes ! Elle était en tenue de camouflage, bottes aux pieds et casquette noire sur la tête, ses longs cheveux blonds bien attachés sur la nuque. Et pas un gramme de graisse sur le corps !

Ce jour-là, j'avais su refouler mes larmes. Larmes de fierté, mais aussi larmes d'angoisse à l'idée de ce qui attendait ma fille.

Maintenant, seule dans ce stationnement, l'anxiété me submergeait.

Et si Katy disparaissait et que personne ne se soucie de la retrouver ? D'établir pour de bon si elle était morte ou vive ?

Le cerveau humain fonctionne comme un commutateur à deux niveaux. Au moment pile où ma main tournait la clé de contact, mes centres cérébraux m'ont renvoyé l'image d'une route à deux voies déserte.

Au lieu de mettre le cap sur Myers Park pour rentrer chez moi, j'ai zigzagué dans les petites rues du haut de la ville et rejoint la I-77.

Là, j'ai pris la bretelle sud.

Direction : Woodlawn.

Chapitre 9

Cette partie d'Old Pineville Road sur laquelle je roulais avait été autrefois la route principale qui reliait Charlotte à Pineville. Ville et route avaient connu des jours meilleurs. Et plus animés. Aujourd'hui, c'est plus à l'est que se concentre l'activité, sur South Boulevard, et rares sont les véhicules à l'emprunter encore. J'ai mis mon clignotant et freiné à petits coups de pédale. Un double faisceau de lumière se rapprochait de mon coffre. Avec un furieux coup de klaxon, une masse énorme m'a contournée et disparu au loin, ses feux arrière braqués sur moi tels deux yeux rouges dans l'obscurité.

J'ai fait demi-tour, comme pour rentrer en ville, et me suis arrêtée sur le bas-côté, histoire de me faire une idée des lieux. Ni trottoir ni feux de circulation. Pour un piéton, la mort quasi assurée.

Côté passager, une large bande de terrain envahi d'herbes et de broussailles. Au-delà, les voies de la Lynx Blue Line, le premier système de train léger sur rails de Charlotte.

Est-ce que la fille l'avait pris pour venir ici ? Si oui, quelqu'un l'avait peut-être vue. À quelle station était-elle descendue ? Woodlawn ? Scaleybark ? Mais si elle était venue en voiture ou même à pied, par où était-elle arrivée ?

Était-elle seule ? Avec quelqu'un ? Quelqu'un de sympathique qui lui avait proposé de la déposer quelque part ? De manger un hamburger avec lui ? De prendre un verre ? Mais, surtout, pourquoi était-elle ici ? Pour quelle raison ?

Larabee situait l'heure de sa mort entre vingt-trois heures et deux heures du matin. Qu'est-ce qui avait bien pu attirer une adolescente dans cet endroit désert au beau milieu de la nuit ? Et sans veste sur le dos, par ce temps frisquet ?

Les techniciens envoyés sur les lieux avaient photographié la scène et prélevé les moindres indices, aucun doute là-dessus. Alors, qu'est-ce qui me poussait, moi, à venir ici en personne après une journée de frustration totale et avec les pieds en compote pour couronner le tout ?

L'envie de voir les lieux par moi-même. D'entendre les sons d'ici. De respirer cet air. De ressentir cet endroit avec tous les capteurs de mon corps.

Les clés de contact bien enfoncées dans ma poche, j'ai ouvert la portière. Une rafale de vent a soulevé mes cheveux et retourné le bas de ma veste. Si, pendant la journée, on pouvait encore se croire en été, le soir venu, il commençait à faire plutôt froid.

J'ai remonté ma fermeture éclair jusqu'au menton.

Mon inconnue était vêtue bien plus légèrement que moi. Pourquoi ? Parce que c'était la mode chez les ados ? Parce qu'elle était partie de chez elle en trombe ? Parce qu'elle pensait passer la soirée au chaud ?

Quant à ses vêtements, bottes à talons et jupe en jeans, ils ne pouvaient servir d'indices, c'était la tenue habituelle de toutes les ados. Aussi bien pour traîner au centre commercial que pour aller à l'école ou pour sortir avec des copains.

Un sifflet a retenti au loin. Pas celui du train léger, celui d'un train de marchandises sur une voie parallèle. De quelle compagnie ? La Norfolk Southern ? La CSX ? L'Aberdeen and Carolina Western ?

La jeune fille aurait-elle sauté d'un wagon à bestiaux et marché jusqu'à cet endroit d'Old Pineville Road ? Un peu tiré par les cheveux, mais pas impossible.

En admettant qu'elle soit arrivée en voiture, il y avait peu de chance pour qu'elle ait demandé à être déposée ici. Alors, était-ce le conducteur sympathique qui l'avait forcée à descendre ? Pour quelle raison ? Parce qu'ils s'étaient disputés ? Parce que leur transaction était achevée ?

Les taches de sperme…

La relation sexuelle avait-elle été consentie ?

Dans le cas contraire, la fille avait-elle claqué rageusement la portière ? Avait-elle été violée, puis abandonnée sur place comme un sac d'ordures ?

Et si Slidell avait raison et que la fille ait monté une arnaque ? Le chauffard qui l'avait écrasée pouvait être un client furieux.

De l'autre côté de la route se dessinaient les silhouettes noires de bâtiments commerciaux. Entre eux, des espaces gris comme de l'étain.

La fille avait dans son sac une carte du club US Airways au nom d'un type mort depuis un bon bout de temps. Comment expliquer cela ? John-Henry Story voyageait-il avec elle, la dernière fois qu'il avait utilisé sa carte ? Si oui, où allaient-ils ensemble ? Cette carte, l'avait-il donnée à la jeune fille ? Celle-ci la lui avait-elle subtilisée sans savoir qu'il était seul à pouvoir s'en servir ? Mais après, pourquoi la conserver ?

Le corps de la jeune fille avait été découvert près du croisement d'Old Pineville Road et de Rountree, tout près de là où je me trouvais en ce moment. Était-elle en train de courir quand la voiture l'avait percutée ? Était-elle immobile ? En train de marcher ? Et après sa chute, quelle distance avait-elle parcourue en se traînant par terre ?

Un camion est passé dans un vacarme infernal, se déportant très loin pour éviter ma Mazda.

Petite note personnelle : dire à Slidell d'interroger les routiers qui passaient régulièrement par ici. De lancer un appel aux automobilistes qui avaient emprunté cette route la nuit dernière. Cela dit, Slidell connaissait son boulot ; il y penserait bien tout seul.

La jeune fille avait-elle vu le véhicule qui l'avait tuée ? Avait-elle essayé de l'éviter ? Avait-elle été renversée sans avoir eu conscience du danger ?

Frissonnant dans la nuit, je suis restée sur place un moment à tendre l'oreille. Seul un papier poussé par le vent troublait le silence. Puis a retenti un klaxon assourdi.

Ça sentait le ciment taché d'huile. Les gaz d'échappement. Les feuilles sèches. Cette odeur particulière qu'elles ont en automne.

J'ai parcouru la chaussée du regard. De l'autre côté, à peut-être trois cents mètres derrière moi, un scintillement bleu et rouge, si faible que je ne l'avais pas remarqué jusque-là. Je me suis remise au volant et j'ai fait demi-tour.

Le scintillement provenait d'un cube en stuc blanc qui avait dû commencer son existence sous forme de station-service. La vitrine, entourée de lumières de Noël, était presque entièrement obstruée par des petites annonces à l'encre délavée. Marché Yum-Tum, annonçaient des lettres rouges peintes à même le mur.

Dans le stationnement, deux véhicules en tout et pour tout : un vieux pick-up gris couvert de poussière et une antique Ford Escort rouge. Je me suis garée à côté de la camionnette.

Par la porte en verre barrée d'une poignée en métal, on pouvait voir le torse d'une caissière au-dessus d'un comptoir. Une sonnerie a retenti à mon entrée.

Il y avait des caméras au plafond, l'une en face du comptoir, l'autre dans un angle et dirigée sur l'entrée. Vieilles, toutes les deux. Probablement programmées pour effacer les enregistrements toutes les vingt-quatre heures.

Si jamais elles marchaient.

Petite note à moi-même : interroger Slidell sur ces bandes vidéo.

Un homme en bermuda, chaussures sport et chandail des Panthers réglait ses achats à la caisse. J'ai attendu qu'il sorte tout en scrutant les lieux.

Dans les frigos, de la bière, du lait et des boissons gazeuses. Des étagères remplies de sacs de trucs salés et de machins frits sur lesquels étaient imprimées des mises en garde pour la santé. Sous des lampes chauffantes, des beignes brillants comme du plastique. Enfin, des hot-dogs tournoyant dans une rôtissoire dégoulinante de graisse. Bref, l'équipement standard pour un attentat terroriste contre le système digestif.

La caissière a rendu sa monnaie à Monsieur Bermuda sans prononcer un mot. Elle avait les cheveux blond platine, la peau laiteuse et des yeux maquillés à la gothique. Résultat brutal et innocent à la fois : le parfait déguisement d'Halloween pour enfant.

Au moment où Bermuda est sorti, j'ai attrapé un sac de bonbons à la menthe et me suis avancée vers le comptoir, un billet de dix à la main.

— Vous avez beaucoup de monde, la nuit ?

— Ce sera tout ?

— Ouais. Vous étiez là, hier soir ?

— Je travaille ici tous les soirs.

— Vous avez vu l'accident ?

Les yeux version Morticia se sont relevés vers les miens. Plissement des paupières, puis :

— Si on veut.

— Vous en pensez quoi ?

— Pourquoi vous me demandez ça ?

— Je travaille pour le bureau du médecin légiste. C'est moi qui ai examiné la victime.

— Genre, son corps ?

Non, petit génie. Ses bas carreautés.

— Oui, son corps.

— Vous êtes, genre, le coroner ?

— Je travaille avec le médecin légiste.

— Genre, à la morgue ?

Sans le mot « genre » dans son vocabulaire, la petite serait muette.

— C'est ça.

— Ça doit être cool.

Elle a refermé bruyamment son tiroir-caisse et m'a rendu la monnaie.

— Vous avez dû faire, genre, des dizaines d'années d'études, pour ça ?

— Oui. Je peux savoir comment vous vous appelez ?

— Shannon King.

— Vous êtes étudiante, Shannon ? ai-je demandé en voyant sur le comptoir une anthologie de nouvelles.

— Je suis des cours au Central Piedmont Community College.

— C'est très fonceur de votre part.

— Le prof d'anglais nous fait tenir un blogue. C'est chiant, parce que, vous savez, je suis ici tous les soirs et même des fois l'après-midi. Y a pas tant de choses à raconter sur les Cheetos et le Pepsi.

— Mais ça a dû aiguiser votre sens de l'observation.

King m'a dévisagée, l'air de se demander si je me moquais d'elle. Puis :

— Possible.

— L'accident, par exemple…

— J'ai rien vu. Et rien entendu. Que les sirènes.

— Vraiment ?

— Moi aussi, je me suis posé la question. Je me suis dit : Shannie, t'as bien dû entendre quelque chose. Des pneus. Un boum. Quelque chose, quoi ! Ben non.

— Que les sirènes.

Elle a pris une profonde inspiration et s'est mordillé la lèvre inférieure.

— Sauf que… ? lui ai-je soufflé.

— Je voudrais pas avoir l'air idiote.

Un peu tard pour y penser.

— Mais non, pas du tout, ai-je répondu avec force.

— Je suis pas sûre. Peut-être que, genre, je comble les vides.

— Le détail le plus infime peut se révéler important.

— Peut-être que quelqu'un a crié. Mais pas tout près. C'était plutôt un gémissement. Mais ça a pu être un chauffeur qui changeait de station radio. Ou un chat.

— Ou un cri.

— Ouais, un cri.

— Vous n'êtes pas sortie pour voir ?

— Ouais, je l'ai fait. Y avait, genre, personne dans le magasin. Mais dehors, rien de spécial. Comme tous les autres soirs.

— Vous avez vu des véhicules qui ralentissaient ou accéléraient rapidement ?

— Nan.

— C'est bien que vous soyez sortie regarder.

— Écoutez, je vais faire tout mon possible pour fouiller ma mémoire.

Elle a levé les épaules, gênée à l'idée d'avoir pu montrer un enthousiasme déplacé.

— Ça pourrait aider mon blogue.

— Ce serait bien.

— Ou je peux demander aux clients. Genre : « Vous avez vu l'accident lundi soir ? » En étant cool, comme vous tout à l'heure.

Je lui ai montré la photo Polaroid que j'avais prise dans la chambre froide de la morgue.

— Vous avez déjà vu cette fille ?

— C'est elle ? (Les yeux fixés sur la photo.) La fille qui a été tuée ?

— Oui.

— *Shit !* Elle est jeune.

— Oui.

— Elle s'appelle comment ?

— On cherche à savoir, justement.

— J'aimerais pouvoir vous aider.

Elle a commencé à repousser la photo vers moi sur le comptoir. S'est arrêtée à mi-course.

— Je pourrais la garder. La montrer aux gens. Vous voulez que je le fasse ?

J'ai pesé le pour et le contre, et décidé qu'il ne valait mieux pas. Elle était seule ici, la nuit. Inutile d'alerter la mauvaise personne.

— Je vais dire au policier chargé de l'enquête de vous en tirer une copie.

— C'est qui ?

— Le détective Slidell.

— Et il va m'appeler ?

— Absolument. Si quelque chose vous revient à l'esprit, n'importe quoi, appelez-moi. (En lui tendant ma carte.) S'il vous plaît.

J'avais déjà la main sur la porte quand elle m'a lancé :

— Qu'est-ce qu'elle faisait par ici aussi tard dans la nuit ?

— Je l'ignore, Shannon. Mais j'ai bien l'intention de le découvrir.

Trente minutes plus tard, j'étais au lit.

Chapitre 10

Cette nuit-là, succession de rêves décousus, d'histoires embryonnaires oubliées au réveil.

Sauf une : Ryan marchant le long d'une route ombragée sous une arche de verdure.

Il me tournait le dos. Je l'appelais, il ne s'arrêtait pas. Les phares d'une voiture arrivant derrière lui illuminaient soudain sa silhouette longiligne. Il se retournait et, lentement, se métamorphosait en Pete.

Ce Ryan-Pete revenait sur ses pas en faisant tournoyer un parapluie fermé dont il se mettait soudain à me piquer le flanc de la pointe, encore et encore.

J'ai ouvert les yeux. Quelque chose de dur s'enfonçait dans mes côtes.

J'ai promené la main sur le matelas en dessous de moi. Ma bague en ambre de Lettonie.

Elle avait dû glisser de mon doigt pendant la nuit, à moins que je ne l'en aie retirée de moi-même. Quoi qu'il en soit, une chose était sûre : j'avais maigri, car il y a peu de temps encore cette bague me serrait.

Le stress ?

Je suis restée un moment à me repasser ce rêve en boucle, en me demandant ce qu'en aurait pensé le vieux Sigmund.

Après quoi, j'ai réfléchi aux chiens péruviens. À la meilleure façon de procéder à leur examen.

Puis quelque chose de bien plus important que tout cela m'est revenu à l'esprit : ma conversation sur Skype avec Katy. Programmée à neuf zéro zéro, pour reprendre sa formule militaire, heure de la côte Est.

Sept heures cinquante-cinq, disait le réveil.

Vite, douche, shampoing et séchage des cheveux.

Quand je suis sortie de la salle de bains, mon iPhone poussait sa chansonnette. Je n'ai pas eu le temps d'arriver jusqu'à lui.

L'icône indiquait deux messages. Un troisième est arrivé tandis que j'avais l'appareil en main. Trois appels en vingt minutes.

Le vétérinaire, pour me rappeler le bilan de santé annuel de Birdie.

Pete. Pas de message. Pour me féliciter d'un divorce réussi ?

Shannon King. Un instant de flottement. Ah oui ! La caissière du Yum-Tum. Elle avait laissé un numéro et voulait que je la rappelle.

Huit heures vingt.

J'ai passé un sweatshirt et suis descendue pieds nus dans mon bureau pour me connecter à Skype. Katy n'était pas en ligne. Normal, j'avais quarante minutes d'avance. Il n'était que 16 h 50 en Afghanistan.

Birdie a sauté sur la table et s'est mis à donner de petits coups de tête à ma main posée sur le clavier.

— Pardon, Birdie. Tu as raison, c'est l'heure du petit-déjeuner.

Le chat m'a suivie dans la cuisine et m'a regardée lui préparer un plat hautement gastronomique : du thon mélangé à du gruau. Je me suis juré de passer au magasin prendre une caisse de pâtés en boîte et un énorme sac de croquettes.

Le chat rassasié, j'ai mis une cuillerée de café moulu — mélange corsé à la française — dans le filtre, ajouté l'eau et allumé l'appareil.

Laissant Mr. Krups effectuer son travail, j'ai rappelé Shannon King.

Réponse d'une voix quelque peu distraite. Ou endormie.

— J'ai fouillé, genre, mon esprit.

Ça avait dû lui prendre une éternité.

— C'est bien.

— Ouais, mais j'ai rien trouvé. Je recommencerai ce soir, promis.

— Très bien. (Coup d'œil à ma montre.)

— Je me disais aussi, est-ce que je pourrais pas, genre, venir à la morgue ?

La morgue.

— C'est gentil de le proposer, mais les visites sont interdites. Question de sécurité et de protocole sanitaire. Mais surtout, n'hésitez pas à me rappeler si quelque chose vous revient en tête.

Retour dans le bureau et vérification de Skype.

Toujours pas de Katy en ligne.

Normal. 8 h 28 ici, 16 h 58 là-bas.

Survol de mes courriels pour tuer le temps.

Trois demandes de don.

Une pub : brûler ses graisses selon une méthode 100 % naturelle.

Une photo de Harry avec un lévrier irlandais et son amoureux du moment. Bruce et Albert. Quant à savoir qui était qui… ?

Une circulaire : la gym après quarante ans.

Rien de Katy. Le rendez-vous sur Skype n'était donc pas annulé, c'était déjà ça.

Incapable de rester tranquille, j'ai filé à l'étage, grimpant les marches deux par deux. La gym après quarante ans.

Retour à la salle de bains pour un coup de fard à joues et de mascara.

Comme si Katy allait voir la différence.

Nouvel exercice pour les plus de quarante ans, en direction de la cuisine cette fois. Seconde tasse de café et retour à Skype.

Pas de changement. 8 h 42 ici, 17 h 12 là-bas.

J'ai fait rouler ma chaise sur le côté pour attraper un numéro du *Journal of Forensic Sciences* sur l'étagère au-dessus du bureau. J'ai lu le sommaire en diagonale.

La contre-immunoélectrophorèse au service de la recherche de protéines sanguines dans le sol. La microscopie confocale appliquée à l'analyse des projectiles. Détection de méglumine diatrizoate dans des échantillons de spores bacillaires. Dépistage génétique, analyse des séquences microsatellites, courbe de dénaturation thermique…

Sujets passionnants s'il en était, mais pas assez pour retenir mon attention.

9 h 20. Toujours rien de Katy.

Du calme, Brennan. La base de Bagram est l'endroit le plus sûr de tout l'Afghanistan.

Selon Katy. Confirmé par Pete.

J'ai avalé mon café tiédasse, les yeux rivés sur la page d'accueil de Skype. Mon impatience n'a pas fait apparaître ma fille.

9 h 40.

10 h 05.

L'estomac noué, j'ai pensé à l'inconnue enfermée dans notre chambre froide du MCME.

Sa mère était peut-être en train de boire un café, elle aussi, en espérant que tout allait bien pour sa fille.

Du calme.

Retour au journal.

Sans résultat.

Pour la millionième fois, je me suis interrogée sur Slidell. À coup sûr, il allait nous la jouer plus Dirty Harry que jamais, maintenant qu'une enfant avait trouvé la mort sur son territoire. Il suivrait toutes les pistes, aucun doute là-dessus, mais selon ses priorités.

Et que valait la mort d'une inconnue, très probablement en situation irrégulière et qui se prostituait par-dessus le marché, face à la disparition d'une mère célibataire méritante, bien connue du voisinage ?

À l'écran, les chiffres dans le coin supérieur sont passés à 10 h 22.

Katy appelle à partir d'un centre USO. Dans cette association dédiée au soutien moral des troupes, ils sont des dizaines à attendre leur tour sur Internet. Chacun veut parler à sa femme ou à son mari, à ses enfants, à sa mère. Et tout le monde fait durer les adieux.

Tiens-toi occupée. Fais ton boulot.

J'ai réduit Skype à son icône et me suis branchée sur un site créé à la suite du Sommet sur l'identification des personnes disparues. Ce séminaire qui s'est tenu à Philadelphie en 2005, à l'instigation de l'Institut national pour la justice, a réuni un nombre gigantesque de participants.

Son but était double : traiter le problème des personnes disparues, mais aussi celui des restes humains non identifiés. Un groupe de travail a été constitué à l'échelon national et placé sous l'égide d'un procureur général adjoint. Ses conclusions, remises au ministère de la Justice des États-Unis, préconisaient de déterminer et de créer les outils nécessaires pour résoudre les affaires de disparition et de non-identification des restes humains, et recommandaient notamment la mise en place d'une banque de données centralisée.

De là est né le NamUs, le fichier national des personnes disparues non identifiées ou dont le corps n'a pas été réclamé. Fichier gratuit et accessible à tous sur Internet.

À l'écran, la page d'accueil du NamUs proposait des liens vers trois fichiers automatisés : Personnes disparues, Personnes non identifiées, Personnes non réclamées.

Espérant que quelqu'un avait signalé la disparition de mon inconnue, j'ai cliqué sur le premier lien.

Dans la case Paramètres de recherche, j'ai entré le sexe — féminin —, la race — blanche —, l'âge — adolescente. Laissant en blanc la case Origine ethnique, je suis passée à celles concernant l'époque où mon inconnue avait été vue vivante pour la dernière fois : Date, Âge et Lieu (État). Et j'ai tapé sur Rechercher.

Résultat : zéro.

J'ai modifié l'âge. Remplacé adolescente par jeune adulte.

Pas mieux.

Dans la case Origine ethnique, j'ai inscrit Hispanique-Latino.

Nada.

Dans celle intitulée Âge, j'ai remis : adolescente.

Toujours rien.

Déçue mais pas étonnée, j'ai fait la seule chose qui me restait à faire : entrer dans la base de données des personnes non identifiées les renseignements relevés sur la copie que j'avais faite du dossier du médecin légiste. Caractéristiques physiques, renseignements médicaux et personnels sur la jeune fille. Vêtements. Accessoires. Ainsi qu'un bref résumé des circonstances dans lesquelles elle avait été retrouvée.

Pas grand-chose à entrer. Aucun signe distinctif : cicatrice, tatouage ou piercing. Pas de réparations dentaires. Pas d'implants. Pas d'infirmités.

Juste une adolescente normale, en bonne santé. Sauf qu'aujourd'hui elle était morte.

10 h 40. Toujours pas de signal de Skype.

Partir pour le bureau m'occuper des momies péruviennes ?

Mieux valait donner à Katy quelques minutes de plus.

Je me suis connectée au réseau Doe, le centre international pour les personnes disparues et non identifiées.

Résultat identique.

Je venais de terminer quand mon iPhone a sonné.

— *Yo*, doc ! (Slidell, la bouche pleine.)

— Oui. (Les yeux rivés sur la photo de Katy prise deux ans plus tôt, l'été, dans les Outer Banks. Ses longs cheveux blonds relevés par le vent brillaient comme de l'or.)

— Je viens de passer un bout de temps avec l'état-major d'Old Pineville Road. Ces ordures-là sauraient pas retrouver leur cul, même avec…

— Vous avez appris des choses intéressantes ?

— Vous vous foutez de moi ? J'ai fouillé une boutique d'articles de fête, un bazar, une jardinerie spécialisée dans la moisissure, et une douzaine d'autres trous à rat merdiques qui tiennent debout par des ventouses. Mon préféré : l'atelier de soudure. J'aurais pu entrer en valsant avec un cadavre, la poulette au comptoir n'aurait rien remarqué. Avec toutes les vapeurs qu'elle doit sniffer.

— Personne n'a reconnu la fille ?

J'avais confié à Slidell la photo Polaroïd que j'avais prise dans la chambre froide.

— Personne savait rien.

— Vous êtes passé au marché Yum-Tum ?

— Ouais. Un régal.

— Vous vous êtes renseigné sur les vidéos de sécurité ?

— La caméra tourne pas rond parce que le patron a pas un rond. C'est l'enculée à la caisse qui m'a raconté ça.

— Et les autres magasins, ils n'ont pas de vidéosurveillance ? L'accident a peut-être été filmé si l'une des caméras est braquée vers la rue ?

— Partout, le même son de cloche : les bandes sont effacées toutes les vingt-quatre heures.

— Et le véhicule ? Vous avez un rapport du labo sur la peinture ?

— *Oh, yeah !* Ils m'ont mis en haut de la pile des urgences et m'ont livré le rapport en limousine.

— Avez-vous vérifié auprès des carrossiers ? Demandé s'ils n'avaient pas vu une voiture cabossée dont les dommages pourraient correspondre à une collision avec un piéton ?

— Vous avez bu beaucoup de café, ce matin ?

Ignorant sa réplique, je l'ai informé de mes recherches sur Internet.

— Pas étonnant. Larabee a déjà recherché dans tous les fichiers de la planète. Moi, j'ai vérifié les nôtres. Aucun signalement qui corresponde au profil de l'inconnue.

— Jusqu'où avez-vous étendu vos recherches ?

— Assez loin. Elle est pas d'ici, c'est clair.

— Elle a peut-être fait une fugue.

Plusieurs battements de cœur sans que personne dise un mot. Dans l'intervalle, des bruits assourdis de circulation. Finalement, Slidell a déclaré :

— La petite est absente des écrans radars. Pas de papiers, pas de clés, rien. Les chances de lui mettre un nom dessus sont pas épaisses. Qu'est-ce que vous allez faire ?

— Faut quand même essayer.

— Le chef me broie les couilles avec sa bonne femme disparue.

— Faut mettre les bouchées doubles, détective.

Slidell a fait un drôle de bruit et coupé la communication.

11 h 02. Pour Skype, c'était foutu.

Un courriel à Katy : *Désolée de t'avoir ratée. Tout va bien ? Propose autre RV. Tendresses, maman.*

Aux chiens, maintenant !

Mais au lieu de remonter m'habiller, je me suis resservi un café et suis revenue m'asseoir à mon bureau.

Par où commencer ?

J'ai appelé le laboratoire de criminalistique du Bureau des enquêtes, à Raleigh. Demandé Josie Cromwell, au service de biologie et de génétique médico-légale. Elle a décroché quasiment dans l'instant.

— Cromwell…

— Hé, salut, Josie. Tempe Brennan à l'appareil.

— Comment ça va, ma grande ?

— Pas mal et toi ?

— Je ne peux pas me plaindre. Tu sais toujours où les corps sont enterrés, n'est-ce pas ?

— Plus ou moins. Tu es débordée ?

— Je reste assise et je me lime les ongles.

On a rigolé. En fait, Josie reprenait à son compte la réplique d'un homme à qui elle avait raflé le poste de chef de service.

— Quel effet ça te fait, d'être le patron ?

— Ça a des bons côtés. Bon, qu'est-ce qui se passe ? Tu viens à Raleigh ?

— Malheureusement, non. J'ai un service à te demander.

— Oh, oh !

— J'ai une jeune fille, dans les treize-quatorze ans, écrasée par un chauffard qui s'est tiré et l'a laissée mourir.

— Dieu du ciel. (Je pouvais voir les boucles noires de Josie voler en tous sens autour de sa tête.)

— Je ne suis pas sûre que le détective chargé de l'affaire se remue beaucoup. Pour lui, c'était une immigrée en situation irrégulière qui faisait le trottoir.

— Et il se dit : une pute de moins dans la rue !

— Ouais. On a bien les empreintes de la petite, mais elle est hors des écrans radars. Impossible de trouver un signalement qui lui corresponde. On a prélevé l'ADN, bien sûr.

— Ce qui ne sert à rien tant qu'on n'a personne avec qui le comparer.

— Exactement. Le pathologiste a constaté la présence de liquide séminal. On espère que ça va conduire quelque part.

— Je te vois venir. Mais on a tellement de retard ici que c'est la panique dans les hautes sphères.

— Tu pourrais quand même aider ma jeune fille à gagner quelques places dans la file d'attente ?

— Je vais voir ce que je peux faire. Probablement pas grand-chose.

— Tim Larabee va t'envoyer les échantillons, ai-je ajouté et je lui ai transmis les renseignements pertinents se rapportant au cas. Je te revaudrai ça.

— J'y compte bien !

Après cela, je ne suis pas partie tout de suite pour le labo. J'ai rouvert ma boîte de courriels et fait apparaître la photo que je m'étais envoyée à moi-même en même temps qu'à Slidell, la nuit d'avant : la jeune fille pâle et inerte dans sa housse mortuaire.

Je me demandais à quoi elle pouvait bien ressembler quand son esprit faisait encore vivre sur ses traits, dans ses expressions, sa gestuelle et ses attitudes tout ce qui faisait d'elle un être unique. Un léger strabisme, une façon particulière de hausser les sourcils, un retroussis de la lèvre.

J'ai sauvegardé l'image dans un fichier intitulé MCME 580-13 et je l'ai adressée en pièce jointe à Allison Stallings, une journaliste du *Charlotte Observer*. Spécialisée dans les affaires criminelles, elle avait couvert, voilà quelques années, une série de meurtres sataniques sur lesquels j'avais travaillé.

En fait, Stallings nous avait harcelés, Slidell et moi, mais elle avait rapporté les faits de façon précise et équitable. En fin de compte, je l'aimais bien.

J'ai attendu dix minutes avant de l'appeler.

— Qui c'est ? a-t-elle dit en guise de bonjour.

J'ai répété ce que je venais de dire à Josie Cromwell, en ajoutant quelques détails sur l'heure de la mort et le lieu de l'accident.

— Qu'est-ce que je peux faire pour vous ?

— Vous pourriez passer la photo de la fille et un court article ? Ça pourrait forcer un témoin à se présenter. Ou quelqu'un qui la connaît.

— Ne quittez pas.

J'ai attendu. Au bout du fil, des bribes de conversation incompréhensibles comme si elles provenaient d'une autre galaxie. Moins de cinq minutes plus tard, Stallings était de retour.

— Désolée, le rédacteur en chef a dit : trop tôt. On lui en reparle dans une semaine si la petite n'a toujours pas été identifiée et alors, il verra. Mais pas à la une.

— Merci. J'apprécie.

Échange d'au revoir.

Au tour des chiens.

J'enfilais un jeans, un chemisier et des ballerines quand mon cerveau m'a adressé une image de Slidell parlant avec dédain des sans-papiers illégaux et des prostituées.

Avait-il raison ? Était-ce vraiment une étrangère en situation irrégulière ?

Comment le savoir ?

Retour à fond de train au rez-de-chaussée pour envoyer une photo de la fille à Luther Dew, de l'Agence des douanes et de l'immigration. Ça ne pouvait pas faire de mal, et si ça avait une chance de rapporter quelque chose…

Je suis restée un moment à réfléchir. À Slidell et à sa mère de famille célibataire qui avait disparu. À ma conversation au téléphone avec Luther Dew.

Et je me suis rendue à l'évidence.

Si je voulais découvrir le nom de mon inconnue, je devais prendre l'initiative. J'ai ajouté une légende à la photo de la fille et j'en ai tiré plusieurs copies.

J'ai quitté la maison en emportant avec moi tout un paquet d'affichettes.

Chapitre 11

Il n'y avait qu'un seul véhicule dans le stationnement du Yum-Tum, la Ford Escort toute sale qui s'y trouvait déjà la veille. Probablement la voiture de Shannon King.

J'ai attrapé mon paquet d'affichettes et mis le cap sur le commerce. Le gravier crissait sous mes pas. Dans mon dos, une voiture est passée dans un bruit de ferraille.

En plein jour, il était plus facile de se faire une idée de l'endroit. Parmi les commerces avoisinants, une petite fabrique de moulage à en juger par les morceaux de statues et de cornières en béton qui jonchaient la pelouse ; un atelier de sérigraphie ; un bâtiment décati tout en longueur qui ressemblait à un vieux motel reconverti en appartements.

No phone, no pool, no pets...

Merci, Roger Miller.

Arrêt devant la vitrine pour déchiffrer quelques-unes des annonces collées à la vitre sale.

Des chats et des chiens perdus, et même une perruche. Bon courage pour la retrouver, celle-là ! Un concours de tee-shirts mouillés dans un bar qui avait probablement fait faillite depuis des lustres. Un écrivain qui vendait son bouquin édité à compte d'auteur : *Maigrir par la méditation*, en vente dans toutes les bonnes librairies. Cellules adipeuses en moins. Sans blague !

Shannon King feuilletait le magazine *OK !* derrière le comptoir. Au son du carillon, elle a levé sur moi ses yeux cernés.

— Salut, Shannon !

— Salut, a-t-elle répondu d'un ton évasif.

— Je me demandais si je pouvais vous laisser ces affiches…

Elle a regardé la photo, lu les quelques lignes sur l'accident, la victime et les personnes à contacter à la police de Charlotte-Mecklenburg, c'est-à-dire Slidell, et au MCME, c'est-à-dire moi.

— OK. (Puis, avec un geste du pouce en direction du motel :) Les racailles là-bas ont peut-être vu quelque chose.

Elle a extrait de sous son comptoir un rouleau de ruban adhésif avec des cheveux collés au bout.

— Mettez-la dans la vitre.

— Je peux en mettre une aussi sur la porte ?

Elle a froncé ses sourcils charbonneux.

— Vous avez ma carte. Si le patron vous fait une remarque, dites-lui de m'appeler.

— Rien à foutre. Je dirai que c'est le coroner qui a insisté. Je la garde ici, celle-là. Pour voir, genre, la réaction des gens. S'ils ont l'air coupable ou autre chose.

Et de placer une affichette bien en vue sur un côté du comptoir.

Super ! Avec une enfant dans une chambre froide et ma fille en zone de guerre, ne me manquait plus que l'apprentie détective !

— C'est gentil, Shannon. Mais contentez-vous d'observer. N'engagez la conversation avec personne.

— Vous pensez que je suis trop conne ?

— Bien sûr que non.

Sous son regard gothique, j'ai collé mes affichettes et suis sortie.

Le temps se réchauffait. La couverture de nuages se fragmentait par endroits et le soleil me caressait les épaules et les cheveux de temps à autre. J'ai ôté ma veste.

Direction le motel.

La résidence, baptisée Les Pins, consistait en un long rectangle pas vraiment motivé à rester debout. La peinture des murs en béton faisait penser à de grandes plaies sanglantes de forme irrégulière. Les dix appartements n'avaient chacun qu'une porte bleue et qu'une seule fenêtre, fermée par un rideau délavé.

Rooms to let fifty cents...

À l'évidence, les locataires des Pins n'avaient pas posé là leurs pénates pour y demeurer longtemps. Ou bien ils réussissaient à s'en sortir, ou bien ils dégringolaient encore plus bas.

Les voitures en piteux état le long du trottoir, au pied du bâtiment, évoquaient de vieilles picouilles attachées devant un saloon. J'ai garé la mienne au milieu du troupeau.

Aucune réponse à mon coup de sonnette dans les six premiers appartements. J'ai glissé ma feuille sous les portes et continué ma tournée. Aux numéros 7 et 8, des femmes à la peau foncée et au regard craintif m'ont lancé de grands *no comprendo*. Elles ont pris l'affichette et refermé leur porte aussitôt.

Au numéro 9, un homme torse nu n'a entrebâillé la porte que pour la claquer aussi sec, sans me laisser seulement le temps d'ouvrir la bouche. Au 10, une voix a braillé : « Fous le camp ! » Je ne me suis pas fait prier.

En voiture, j'ai quadrillé le quartier autour d'Old Pineville et de Rountree, m'arrêtant çà et là pour accrocher la photo de la fille tantôt à un arbre, tantôt à une clôture ou un réverbère, et même à la barrière derrière laquelle l'asphalte cédait la place aux taillis. J'ai laissé une affiche dans tous les commerces visités par Slidell. La plupart des gens me regardaient faire avec scepticisme. Très peu m'ont posé des questions.

Découragée, j'ai suivi South Boulevard jusqu'aux trois stations de train les plus proches de l'endroit où la fille était morte.

Je déverrouillais la portière de ma Mazda quand mon iPhone m'a signalé un appel. Tout en me glissant au volant, j'ai pris la communication.

— Luther Dew.

— Que puis-je faire pour vous, agent Dew ?

— Je comptais vous trouver à votre bureau. (Un reproche ?)

— Je m'y rendais justement.

— Pourrais-je passer vous voir ? Disons dans une demi-heure ?

— L'examen des momies n'est pas achevé.

(Même pas commencé, à vrai dire.)

— Avez-vous fait des radios ?

— Oui. (J'avais demandé à Joe Hawkins d'en faire sous toutes les coutures.)

— Pourrais-je les voir ? Cela me serait d'une grande aide pour rédiger mon rapport.

— Je peux vous en donner des copies, mais nous devons conserver les originaux.

— Ça me suffira.

— Vous savez où se trouvent nos nouveaux locaux ?

— Oui. Eh bien, à dans une demi-heure !

Ligne coupée.

Et je vous souhaite une excellente journée, moi aussi, agent Dew.

Ma main frôlait le levier de vitesse quand mon estomac s'est rappelé à mon souvenir sous forme d'un grognement.

Presque deux heures au cadran du tableau de bord. J'avalerais quelque chose après la visite de Dew. Peut-être un burger et des frites.

Ridicule ! J'avais aussi peu de chances de m'offrir un repas que de rentrer chez moi ce soir et de découvrir Birdie en tablier de cuisine m'attendant avec le dîner servi.

Attraper quelque chose au Yum-Tum ? Je n'en étais pas encore rendue là. Ne le serais jamais.

Tapotant le volant au rythme du *Maple Leaf Rag* de Scott Joplin, j'ai pris la direction du MCME. Vingt minutes plus tard, j'entrais dans le stationnement, après un arrêt au marché Circle K.

Mme Flowers m'a accueillie avec son éternel sourire de bienvenue, assorti d'un rapport circonstancié sur la situation.

— Vous n'avez aucun message téléphonique et personne n'a demandé à vous voir, sauf le Dr Larabee. Mais il est sorti. (Avec un *i* de dix kilomètres de long.)

— Merci. Un agent spécial des douanes et de l'immigration devrait bientôt arriver. L'agent Luther Dew.

— À propos des momies de chiens ?

Ses sourcils tracés au crayon se sont haussés d'un millimètre sur son front impeccablement poudré.

— Oui. Joe a fait les radios ?

— Elles vous attendent dans la petite salle d'autopsie.

— Merci. Soyez gentille de me prévenir de l'arrivée de l'agent Dew avant de me l'envoyer.

— Bien sûr.

Et maintenant, direction mon bureau. En chemin, coup d'œil au tableau des affaires en cours. Rien de nouveau pour moi.

J'en étais encore à écouter les messages laissés sur mon répondeur quand le téléphone a sonné.

Mme Flowers.

— Votre agent spécial est arrivé.

Dit sur un ton posé, sans tremblement de la voix ni halètement saccadé.

Petite explication : raffinée comme le sont toutes les demoiselles du Sud, Mme Flowers ne se contente pas de rougir en présence d'un beau brun élancé, elle en perd carrément le souffle, façon Marilyn.

Donc… Dew n'avait rien pour attirer le regard.

— Pouvez-vous le faire patienter dix minutes ?

— Certainement.

Tous les négatoscopes de la petite salle d'autopsie étaient occupés par les clichés de momies de chiens, et de grandes enveloppes brunes reposaient sur le comptoir à côté de trois des quatre bacs en plastique qui s'y trouvaient.

J'ai allumé les appareils l'un après l'autre et j'ai examiné les radios du premier lot. Après avoir retiré ces clichés, je suis passée aux trois autres lots.

J'en étais à la dernière radio quand des pas ont retenti dans le couloir.

Je me suis retournée.

Un béluga rose remplissait l'ouverture de la porte. Pas de chapeau Fedora, de nœud papillon ou de bretelles. Une chemise blanche, une cravate bleue et un costume bleu marine à fines rayures.

Et très grand, ce béluga. Un bon mètre quatre-vingt-quinze pour cent cinquante kilos.

Je me suis avancée vers lui, la main tendue.

— Tempe Brennan.

— Luther Dew. (Poignée de main ferme, sans testostérone inutile.)

Le regard de Dew a dévié vers le fond de la pièce puis s'est reposé sur moi.

— Je vous remercie de prendre le temps de me recevoir.

Une voix mal accordée à ce corps surdimensionné.

— Mais je vous en prie.

Dew a reporté les yeux sur les radios. Des yeux à la sclérotique d'une drôle de couleur violette.

Du geste, je lui ai indiqué le plus proche des négatoscopes.

— Venez voir.

Un cou charnu qui faisait des plis chaque fois qu'il inclinait la tête à gauche ou à droite, pour mieux repérer les éléments dignes d'intérêt dans le méli-mélo d'os superposés — côtes, os longs et bien d'autres parties anatomiques.

— Ça ne ressemble pas à des ossements humains, a-t-il conclu.

— Résolument canins, ai-je renchéri en les désignant à tour de rôle. On reconnaît le museau, les dents, la queue, les vertèbres.

— C'est la même chose pour les autres momies ?

— Oui, bien que je n'aie encore procédé qu'aux observations préliminaires. (Et en avant les euphémismes !) Toutefois, je peux déjà vous dire que l'une d'elles est un chiot.

Dew est resté un peu plus longtemps sur le squelette comprimé qui ressortait en blanc sur le cliché.

— Je vous remercie de vous être limitée aux méthodes non invasives pour effectuer votre examen.

— À moins de repérer quelque chose de suspect, je ne devrais pas avoir à défaire les couches de tissu.

— Les archéologues péruviens vous en seront très reconnaissants. Je peux ? a-t-il ajouté en sortant de sa poche un petit Nikon automatique.

Il a photographié la totalité des quatre séries de radios des momies pendant que je les faisais défiler devant lui. Puis il a immortalisé les paquets non ouverts.

La tâche achevée, nous sommes restés un instant à fixer les chiens.

Une idée m'est venue à l'esprit. Après tout, pourquoi pas ?

— Nous ignorons toujours le nom de la victime du délit de fuite dont je vous ai parlé.

Dew m'a regardée d'un air absent.

— Cette fille que le détective Slidell soupçonne d'être une sans-papiers, voulez-vous la voir ?

— Je ne vois pas bien à quoi cela pourrait vous avancer.

— On ne sait jamais. Et puisque vous êtes là et qu'elle est à côté…

Sans lui laisser le temps d'objecter, je l'ai fait entrer dans la chambre froide et j'ai tiré la civière au centre du local.

Je dirai, au crédit de Dew, qu'il n'a pas cherché à fuir lorsque j'ai ouvert la housse mortuaire. Et son visage n'a pas trahi non plus la moindre émotion.

Il a laissé passer un moment avant de lâcher :

— C'est très triste, mais je ne vois vraiment pas en quoi je pourrais vous aider. Y a-t-il un endroit où nous pourrions parler ?

J'ai remonté la fermeture éclair de la housse, et nous nous sommes rendus dans mon bureau. Dew et sa carcasse ont rempli une bonne partie de l'espace. J'ai attendu tranquillement qu'il me divulgue ses secrets.

— Dans le cadre de l'enquête, l'Agence des douanes et de l'immigration s'est penchée sur les finances de Dominick Rockett.

Prenant mon silence pour de l'incompréhension, Dew a précisé :

— Nous avons épluché ses relevés bancaires, ses justificatifs de dépenses et ses déclarations d'impôts, entre autres choses. (On aurait dit qu'il récitait un manuel de formation.) Ses revenus sont difficiles à expliquer si l'on ne prend en compte que sa pension d'invalidité et les bénéfices de sa société d'importation.

— Ce qui signifie ?

J'avais très bien compris toute seule, mais il m'a semblé que Dew attendait une réplique de ma part.

— Dominick Rockett est peut-être un plus gros poisson que nous ne le supposons.

— Vous pensez qu'il fait de la contrebande ?

Dew a déplacé son poids considérable avec une surprenante élégance.

— Il se pourrait que ces chiens ne soient que la pointe d'un iceberg très lucratif et très inquiétant.

C'est le moment que mon estomac a choisi pour faire entendre ses exigences. J'ai rougi. Dew aussi peut-être. Difficile de le dire avec certitude, tant il avait le visage congestionné.

— Je ne vous ai que trop retenue.

Il s'est levé. J'ai demandé :

— Vous me tenez informée ?

— Certainement. Vous avez été très coopérative.

Coopérative ? Me prenait-il pour une suspecte ?

— Merci. (Puis, en prenant une affichette dans mon sac.) Peut-être pourriez-vous essayer d'en savoir un peu plus long sur mon inconnue ?

Dew étudiait la photo lorsque le téléphone fixe a glapi.

— Je suis désolée de vous interrompre, a dit Mme Flowers d'une voix tendue. Mais la personne qui appelle insiste énormément et elle semble plutôt contrariée.

Un flash de Katy est passé devant mes yeux et c'est la bouche sèche que j'ai répondu :

— Passez-la-moi.

Pendant que j'articulais mes excuses à l'adresse de Dew, le son de la communication a changé. Liaison épouvantable, voix à peine audible.

— La photo sur l'affiche…

— Vous voulez parler de la victime du délit de fuite ? ai-je demandé, perplexe.

— … la fille est morte ?

L'appel semblait venir d'une femme.

— Oui. Elle est morte.

— … la blesser… eu peur…

— Peur ? Mais de quoi ?

Des grésillements.

— Tout le monde était…

— Madame, est-ce que vous pouvez raccrocher et me rappeler ?

— … mal… devais en parler à quelqu'un…

— Vous la connaissez ?

Clic. Tonalité.

Chapitre 12

— *Si vous souhaitez passer un appel, raccrochez et...*

J'ai relâché le bouton, et tapé le numéro du poste de Mme Flowers.

Occupé.

J'ai recommencé.

Toujours occupé.

Allez, allez !

Qui avait coupé la communication, la dame qui m'avait appelée ou quelqu'un d'autre ? Elle avait l'air affolé...

— Excusez-moi, ai-je dit tout haut à l'adresse de Dew, j'ai été coupée alors qu'on voulait peut-être me refiler un tuyau sur mon inconnue.

— Je comprends.

Mme Flowers a enfin décroché.

— Je suis désolée de...

— La dernière personne qui m'a appelée, vous avez son numéro ?

Une pause, puis :

— Oui.

Dew m'a regardé noter les chiffres.

— Encore une fois, merci, docteur Brennan, a-t-il dit.

— Dès que j'ai fini, je vous préviens pour que vous puissiez récupérer les chiens.

Il avait à peine franchi la porte que j'appelais déjà Slidell avec la touche de composition abrégée.

— *Yo.*

En fond sonore la voix du chanteur country Waylon Jennings vantant les charmes de Luckenbach au Texas.

— Vous pouvez établir l'origine d'un appel à partir d'un numéro ?

— Laissez-moi deviner : *Dancing with the Stars* vient enfin de vous appeler et vous avez été coupés ?

Je lui ai parlé de mes affichettes et de mon interlocutrice anonyme, m'attendant à un sermon de sa part. Mais non.

— Allez-y.

Je lui ai donné le numéro.

— Cinq minutes et je vous rappelle.

Trois minutes plus tard, il était de nouveau en ligne. Sans musique country.

— Passé d'une cabine téléphonique. Qui aurait dit qu'y en a encore qui marchent de nos jours ? La plupart d'entre elles sont chiantes à…

— Où ça ?

— Au centre commercial de Seneca Square.

— South Boulevard, près de Tyvola.

Mon cœur a réagi par un surplus de battements : Seneca Square, c'était tout près de l'endroit où l'accident avait eu lieu.

— Hi-yah. Je vais faire un tour dans le coin. Mais à moins que votre informatrice vous ait appelée toute nue avec une tiare sur la tête, y a quasi pas de chance pour que quelqu'un ait remarqué quoi que ce soit.

Slidell avait raison, ce qui m'irritait en diable.

— Du nouveau sur le véhicule ?

— Non.

— Et la tache de peinture sur le sac à main ?

— Les gars du FBI, la plupart du temps, c'est qu'un ramassis de bons à rien, mais faut dire que leur base de données, c'est pas de la merde. (Slidell a vraiment le tour avec les mots.) Quarante mille foutues teintes en tout, mais pas une qui colle avec la nôtre.

— L'échantillon qu'on leur a envoyé, ce n'était pas de la peinture ?

119

— Ouais, mais ça venait pas d'une voiture.

— De quoi, alors ?

— *Fuck*, j'en sais rien.

— Et que dit le rapport ? (En masquant à peine mon agacement.)

— Des conneries sur les solvants, les liants, les pigments et les additifs. Du méthyle par-ci, de l'hydrofluoro par-là. Peuvent pas parler comme tout l'monde, ces idiots ?

— Il faudrait que vous trouviez quelqu'un qui y comprenne quelque chose.

— Ouais, ouais.

— Combien de temps ça va prendre ?

— Le temps qu'y faudra.

Après avoir raccroché, j'ai fermé les yeux et me suis rejoué mentalement le mystérieux coup de téléphone. Une femme. Qui disait que la fille écrasée avait peur. Avec un accent, cette dame ? Difficile à dire, la connexion était trop mauvaise.

Connaissait-elle mon inconnue ? Si oui, pourquoi ne pas m'avoir donné son nom ?

Parce qu'elle avait peur, elle aussi ?

Mais de quoi ?

Et pourquoi appeler d'une cabine ? De nos jours, tout le monde a accès à un téléphone fixe ou à un mobile. Pour garder l'anonymat ? Pour qu'on ne puisse pas retracer la provenance de l'appel ? Grossière erreur, de toute façon.

La femme avait-elle interrompu la communication volontairement, ou quelqu'un l'avait-il empêchée d'en dire plus ?

Pour l'heure, si quelqu'un voulait en dire plus, c'était mon estomac, et il insistait pour être entendu. J'ai filé à la cafétéria.

Retour dans mon bureau avec un Coke Diète.

Tout en grignotant la barre énergétique achetée au Circle K, je me suis attaquée au premier document de la pile dans la corbeille à courrier : des ossements humains découverts sur les rives du lac Mountain Island. L'analyse du gène de l'amélogénine avait montré que c'étaient ceux d'un homme. En aucun cas l'Edith Blankenship que les flics pensaient avoir trouvée. Génial ! Alors, où était Edith ? Et qui était ce bonhomme du lac ?

J'ai rédigé un rapport succinct, y ai joint le formulaire et placé le tout dans un dossier jaune vif dans ma corbeille, sur la tablette « Sortie ». Pourquoi jaune ? Parce que j'aime bien cette couleur, tout simplement.

Document suivant : une invitation à la prochaine réunion de la FASE, la société européenne d'anthropologie médico-légale. Super, certainement, mais qui avait du temps pour ça ?

Bon, assez de paperasses pour aujourd'hui.

L'emballage de la barre énergétique jeté à la poubelle, je suis allée dans la petite salle d'autopsie pour examiner plus en détail les radios de mon lot de momies. J'en étais au troisième toutou quand le téléphone a sonné.

— Votre agent spécial est de retour. Je vous l'envoie ? (Mme Flowers, chuchotant derrière sa main sans presque articuler.)

Que se passait-il encore ? Deux heures seulement depuis sa visite !

— Oui, s'il vous plaît.

En voyant Luther Dew atteindre la porte de mon bureau en même temps que moi, je me suis fait une fois de plus la réflexion qu'il se déplaçait avec une grâce et une économie de mouvement remarquables pour un homme d'un tel gabarit.

Je me suis laissée tomber derrière mon bureau et lui ai indiqué le fauteuil placé devant.

Vu le gabarit de Dew, la chose ressemblait à un siège de bébé.

— Je vous manquais déjà ?

L'agent Dew a-t-il perçu l'humour de ma remarque ? En tout cas, il n'a pas relevé.

— J'ai des informations qui pourraient vous intéresser.

— À propos de mon inconnue ?

— De Dominick Rockett.

— L'importateur pas si blanc comme neige que ça ?

Pas l'ombre d'un sourire, cette fois non plus.

— Docteur Brennan, notre brève rencontre m'a laissé l'impression d'avoir eu en face de moi une véritable professionnelle. Une personne qui se donne à fond dans ce qu'elle fait, quelqu'un d'honorable et d'un grand sens moral, ce qui est encore plus important. Déballer les momies vous aurait infiniment simplifié la tâche ; pourtant, vous avez choisi une autre méthode. Cela incite au respect et à la confiance.

Truman Capote tout craché, efféminé et tellement comme il faut.

— En conséquence, je ressens l'obligation de partager avec vous certains détails que j'ai tenus secrets au cours de notre précédent entretien.

Dew a remué dans son fauteuil comme s'il voulait se pencher en arrière. Puis il a changé d'avis, doutant à juste titre de la capacité du siège à supporter son poids.

— Nous avons découvert au cours de notre enquête que M. Rockett détenait des actions dans une firme appelée S & S Enterprises. Comme il s'agit d'une société privée, nous n'avons accès qu'à très peu d'informations sur sa structure, ses activités ou l'identité de ses actionnaires.

— Quel est le domaine d'activité de cette S & S ?

— Ce qui est intéressant, ce n'est pas tant son domaine d'activité que le montant des avoirs détenus par M. Rockett. Nous l'estimons à environ cent mille dollars.

— Une somme plutôt rondelette.

— Or, comme je l'ai dit plus tôt, M. Rockett déclare au fisc des revenus tout à fait modestes.

— Provenant de sa pension militaire et de son affaire d'importation ?

Dew l'a confirmé.

— Nous en sommes donc venus à nous interroger sur l'origine des fonds qui lui ont permis d'acquérir une telle position au sein de cette entreprise.

— L'Agence pense que ce type est louche ?

Dew a poursuivi comme si je n'avais rien dit.

— Une autre chose nous intrigue, mes collègues et moi-même. Et c'est, à mon avis, une raison supplémentaire de vous faire entrer plus avant dans la confidence.

Dew a baissé les yeux sur ses mains, immobiles sur ses genoux, puis les a relevés sur moi.

— Il y a peu de temps encore, l'un des actionnaires majoritaires de S & S Enterprises était un homme d'affaires d'ici. Un certain John-Henry Story. Je crois que ce n'est pas un inconnu pour vous.

— Le John-Henry Story qui est mort dans un incendie en avril dernier ?

— C'est bien vous qui avez identifié ses restes, n'est-ce pas ?

Je me suis contentée de hocher la tête, trop ébahie pour proférer un son.

Ébahie, et contente en même temps. Car il était là, le lien qui allait peut-être obliger Dew et ses services à intervenir dans mon enquête.

— Confidence pour confidence, vous vous souvenez de la fille que je vous ai emmené voir dans la chambre froide ?

L'agent des douanes a plissé les yeux, ces yeux bizarres au blanc qui tirait sur le lavande.

— L'enfant renversée par un chauffard ?

Dew s'apprêtait à poursuivre. J'ai tout de suite levé la main pour l'interrompre.

— Elle avait dans son sac une carte de membre privilégié d'une compagnie aérienne au nom de ce même John-Henry Story.

Dew a tiré sur une de ses manchettes sans dire un mot.

— Vous entendez, agent Dew ? Dominick Rockett, celui que vous soupçonnez de trafic, est partie prenante dans une société, la S & S, détenue en partie par un individu dont mon inconnue portait sur elle la carte privilège au moment de sa mort, ce fameux John-Henry Story.

Le visage de Dew est demeuré indéchiffrable.

— Il serait sûrement utile pour votre enquête de connaître l'identité de cette fille.

— Votre détective…, a commencé Dew en faisant tourner une de ses énormes mains roses.

— Slidell.

— Le détective Slidell n'est-il pas convaincu que cette fille était une prostituée ?

— Je ne vois pas le rapport.

— Il peut exister quantité d'explications à la coïncidence que vous évoquez sans qu'aucune d'elles n'ait un lien quelconque avec M. Rockett.

— Je ne crois pas aux coïncidences. (Sur un ton plutôt sec.)

Dew a laissé passer un long moment avant de répondre avec une patience admirable :

— Comme je vous l'ai déjà exposé, ma fonction consiste à enquêter sur l'importation illégale de biens culturels et sur leur dispersion. À l'heure actuelle, nous nous intéressons à la situation financière de Dominick Rockett dans la mesure où elle pourrait attester de sa participation à des activités frauduleuses. S'il devait s'avérer que votre victime a été mêlée à ce trafic de près ou de loin, il va de soi que je reconsidérerai la situation. Mais une carte d'accès à un salon réservé de l'aéroport retrouvée dans le sac à main d'une prostituée potentielle ?

Dew a penché la tête de côté en levant les sourcils, l'air de dire : « Soyons sérieux. »

J'ai réussi à sourire malgré toute mon envie de le chasser de mon bureau à grands coups de pied dans son postérieur aussi prétentieux qu'imposant.

— Personne de chez vous ne pourrait…

— Nous manquons cruellement de personnel, a répliqué Dew en se levant. Votre affaire devra malheureusement rester entre les mains des autorités locales.

Mon coloc se trouvait dans la cuisine au moment où j'en ai franchi la porte.

— Salut, Birdie.

Assis la queue bien enroulée autour de ses pattes, le chat a levé sur moi des yeux jaunes tout ronds.

J'ai laissé tomber mon attaché-case et me suis accroupie pour lui caresser la tête.

Il s'est levé et a creusé le dos. Espoir ? Attente ? Faim, tout simplement ?

Je me suis sentie encore plus coupable de ne pas lui avoir acheté sa nourriture.

Mais pourquoi ne m'étais-je pas arrêtée au supermarché ou seulement chez l'épicier du coin ?

Maintenant j'allais payer cher le fait d'avoir laissé passer le travail avant la maisonnée.

Quant au chat, pas tant que ça.

Sachant le frigo plus vide que le désert, je me suis dirigée tout droit vers le garde-manger. À peine la porte ouverte, Birdie a insinué sa truffe dans l'entrebâillement pour humer l'air, dressé de tout son long, les pattes de devant en appui sur l'étagère du bas.

Très bien. Pour le matou, ce serait une deuxième «assiette du pêcheur» : du gruau mélangé aux restes du thon d'hier.

Birdie a dévoré son plat à belles dents. Enfin quelqu'un qui appréciait mes efforts. Cela faisait du bien, après deux jours de frustration.

Coup d'œil au répondeur et retour direct à la cuisine, puisqu'il n'y avait aucun message.

Coup d'œil au réfrigérateur. En tout, quatre carottes ratatinées, un concombre en voie de liquéfaction et trois laitues romaines qui avaient bruni dans leur emballage.

Sur les étagères, jus d'orange, Coke Diète, prunes en conserve, olives, condiments et un litre de lait qui avait dépassé de dix jours sa date de péremption.

Quant au congélateur, il a révélé un burrito couvert de givre et un pâté au poulet.

Tandis que ce dernier chauffait, j'ai lu mes courriels.

Rien de Katy.

Relaxe. Elle va bien. Pas de nouvelles, bonnes nouvelles.

Rien de Ryan non plus.

Pourquoi Katy ne m'avait-elle pas contactée ? Ni courriel ni texto. Elle le savait, pourtant, que j'allais être folle d'inquiétude. Bien sûr, ce n'était pas possible de communiquer tous les jours, je le savais très bien, mais jusqu'ici elle n'avait raté aucun de nos rendez-vous sur Skype.

L'horloge a sonné huit coups. Malgré ma fatigue, il fallait que je m'occupe pour chasser mon angoisse.

J'ai lu le reste des courriels : des pourriels ou des messages qui pouvaient attendre.

J'ai mangé le pâté : beaucoup de légumes pour une molécule de volaille.

J'ai lavé le plat du chat. Réglé des factures. Regardé un épisode de *Boardwalk Empire* avec un Birdie ronronnant sur mes genoux.

J'ai surtout lutté contre l'envie de vérifier ma boîte de réception toutes les cinq minutes.

À dix heures, douche et au lit.

Dormir, mais qu'est-ce que je me racontais comme histoire ?

En fait, j'ai plongé tout droit dans les tourbillons d'un océan d'anxiété, sans même avoir trempé le bout du pied dans l'eau.

Qui était la fille morte ? Pourquoi se promenait-elle au beau milieu de la nuit sans papiers et sans clés ? Quelqu'un avait-il volé des choses dans son sac à main ?

Si oui, pourquoi lui piquer ses papiers et laisser la carte au nom de John-Henry Story ?

À cette question au moins, il y avait une réponse : la carte était cachée dans la doublure du sac.

Pourquoi ? Cachée là volontairement par la jeune fille ? Quelqu'un lui aurait volé ses cartes et n'aurait tout simplement pas vu celle de Story ? Et ce quelqu'un, était-il aussi le meurtrier ?

Quelle valeur pouvait bien avoir une carte d'accès à un salon privé d'aéroport ? Ce n'était pas une carte de crédit.

Story était mort depuis six mois et, d'après Slidell, la carte d'accès n'avait pas été utilisée depuis cette date. D'ailleurs, Story était seul habilité à s'en servir.

Tout à coup, une possibilité m'est apparue.

Et si John-Henry Story était encore en vie ? S'il avait simulé sa mort ? Mais dans quel but ?

Puis une autre idée m'est venue, plus inquiétante encore : si l'homme mort dans l'incendie n'était pas Story, qui était alors l'individu dont j'avais examiné les ossements ?

J'ai rallumé et vérifié sur mon téléphone que je n'avais pas reçu de courriel ou de texto de Katy.

Shit.

J'ai éteint.

Mes neurones tournaient à plein régime.

À l'heure de sa mort, John-Henry Story avait cinquante et un ans. Mon inconnue, quinze à tout casser. Story lui avait-il demandé de faire le voyage avec lui ? À sa place ?

Mais pour aller où ? Et pourquoi ?

Mes cellules grises ne m'ont fourni aucune hypothèse.

D'une manière ou d'une autre, cette carte d'accès était passée de la poche de Story au sac de la jeune fille.

Un sac à main rose abandonné par terre, près de son corps.

Je me suis représenté la route déserte, le bas-côté pentu, les phares sabrant le noir de la nuit.

Et une nouvelle idée m'est venue.

Et si John-Henry Story avait un rapport avec l'accident ?

Si c'était lui le chauffard qui avait pris la fuite ?

Non, c'était vraiment trop tiré par les cheveux.

Surtout, ça ne se fondait sur rien. Du rêve à l'état pur, sans rien de scientifique. Car même si Story avait mis en scène sa mort, il l'avait fait en avril, lors de l'incendie. Bien avant l'assassinat de la jeune fille.

Abandonnant toute idée de dormir, je suis descendue à la cuisine. Birdie m'a accompagnée, un peu dans les vapes, mais sans se faire prier.

J'ai fait chauffer la valeur d'une tasse d'eau, y ai plongé un sachet de thé à la menthe, puis j'ai versé le reste du lait dans une soucoupe à l'intention du chat. Il a lapé ce petit goûter de bon cœur, indifférent au fait qu'il ne soit plus de toute première fraîcheur.

Pendant que je sirotais mon thé, mes pensées se sont engagées dans une tout autre direction.

Dominick Rockett, l'ancien soldat au visage mutilé. L'homme d'affaires qui faisait de la contrebande d'antiquités. Qui avait investi dans une société appartenant à John-Henry Story.

Où Rockett avait-il bien pu trouver les fonds nécessaires pour devenir actionnaire de S & S Enterprises? Pourquoi avait-il choisi cette société-là et pas une autre? Quand? Avant la mort de Story? La mort *supposée*? Story avait-il été un facteur déterminant dans la décision de Rockett d'investir dans S & S Enterprises?

Autre coïncidence?

Bien sûr.

Dominick Rockett connaissait-il John-Henry Story? Travaillait-il pour lui? Avec lui? Dans quel domaine?

Rockett était-il impliqué dans le délit de fuite?

Soudain, j'ai eu l'impression que la pièce était devenue glaciale.

On était en octobre. L'hiver approchait. Il faudrait bientôt allumer le chauffage.

Ayant déposé ma tasse dans l'évier, je suis remontée dans ma chambre, mon félin sur les talons.

Je me suis glissée sous la couette, j'ai éteint la lumière, et fermé les yeux.

Et j'ai tenté de faire le vide en moi.

Plus de Dominick Rockett. Plus de John-Henry Story. Plus d'inconnue.

Mon cortex a entamé un nouveau parcours en boucle.

Le coup de fil de cet après-midi.

Qui était cette femme?

À supposer que mon informatrice m'ait dit la vérité, de quoi avait peur la victime du chauffard?

Et cette interlocutrice avait-elle peur de la même personne, elle aussi ?

Birdie a bondi sur le lit et s'est niché au creux de mon genou après avoir tourné plusieurs fois sur lui-même. Je lui ai passé la main sur le dos, emplie de gratitude pour sa loyauté inconditionnelle.

Et soudain, un flash. Des fragments carbonisés. Des fragments tellement friables que j'avais dû pulvériser du polyuréthane pour arriver à les détacher de la matrice de cendres dans laquelle ils étaient incrustés.

Était-ce bien John-Henry Story ?

Admettons. Mais comment expliquer sa présence dans cette grange au milieu de la nuit ? Son affaire lui tenait-elle tellement à cœur ? Connaissait-il des difficultés financières et, dans ce cas, aurait-il lui-même allumé l'incendie ? Les produits chimiques s'enflamment facilement. Avait-il mal calculé son coup et s'était-il retrouvé pris au piège ? Non, les enquêteurs n'auraient pas laissé passer ça. Ils auraient relevé des indices prouvant que des produits accélérants avaient été utilisés, des bidons, quelque chose.

Vision d'une silhouette sur fond de feu et de fumée. Ses mouvements paniqués tandis que les flammes attaquaient ses vêtements, ses cheveux, sa peau.

Si Story n'avait pas trouvé la mort dans cette grange, qui donc avait péri dans l'incendie ? Un employé, un vagabond qui s'était endormi au mauvais endroit ?

Je tournais en rond.

Chaque question en suscitait une autre. Et toutes demeuraient sans réponse.

Et où diable était passée Katy ?

Chapitre 13

Je me suis réveillée au son d'une pluie torrentielle sur les carreaux. Immédiatement j'ai su que j'avais dormi trop tard.

Et, de fait, le radio-réveil indiquait 8 h 42.

À moitié vaseuse, j'ai attrapé mon iPhone et vérifié les courriels arrivés pendant la nuit.

Rien de Katy.

Rapide jonglage avec les fuseaux horaires : à Bagram, c'était le milieu de l'après-midi. D'accord, elle avait été débordée.

Je lui ai envoyé un message en sachant pertinemment que c'était la dernière chose à faire. «Appelle, STP. Maman.»

De Ryan, rien non plus.

De ma sœur, Harry, un quatuor de textos. Le premier à 2 h 42.

Les suivants à cinq minutes d'intervalle.

Je les ai survolés pour me faire une idée de la nouvelle crise qui la terrassait.

Histoire de rire un peu, je me branche parfois sur le site *First World Problems*, un site où sont listées les plaintes et les frustrations des gens riches et privilégiés. C'est un microcosme de la vie de Harry. Les Angoisses avec un grand A de Harriet Brennan Howard Dawood Crone. Sauf que je crois qu'elle a laissé tomber le Crone quand elle a divorcé de son troisième mari. À moins que ce soit du numéro 2 ?

Mes nouvelles connaissances sont souvent stupéfaites d'apprendre que Harry et moi sommes sœurs. Pourtant, malgré nos disputes, qui sont épiques, nous avons en commun une détermination de bouledogue. Ce trait de caractère est à la base de nos deux personnalités pourtant si différentes. En ce qui me concerne, c'est à cette détermination que je dois d'avoir poursuivi mes études, puis de m'être fait une place dans la profession que j'exerce maintenant depuis plusieurs décennies. Profession exigeante et qui me vaut si souvent d'être confrontée à des situations désespérées.

La grande différence entre Harry et moi, c'est le sujet pour lequel nous nous passionnons. Pour moi, c'est la vérité que je dois absolument révéler pour que justice soit rendue aux morts.

Pour Harry, c'est le magasinage. Chaussures, lunettes, maisons, maris. Non qu'elle cherche à acquérir coûte que coûte l'objet de sa convoitise. C'est plutôt la chasse en soi qui lui importe, me semble-t-il.

J'ai souvent réfléchi à ce qui fait que Harry est comme elle est, et moi comme je le suis. Au fil des ans, je me suis convaincue que la faute en revient principalement à notre mère, et tant pis si cette assertion relève du cliché.

Quand je me penche sur les années passées, je me rends compte que maman oscillait au bout d'un pendule qui la poussait de l'exaltation sauvage à la plus noire dépression sans qu'elle y puisse rien. Quand elle était au plus haut, elle prenait plaisir à être à la fine pointe de la mode, à rencontrer les gens qu'il fallait, à voir et être vue aux meilleurs spectacles, concerts ou restaurants. Ensuite venait le temps du plongeon et des larmes, le repli sur soi, l'enfermement volontaire dans sa chambre. Une fois atteint l'objet de son désir, plus rien ne l'intéressait.

Enfant, les sautes d'humeur de ma mère me déconcertaient profondément. Adulte, je continue à ne pas les comprendre entièrement.

Et je crains que ma sœur ne soit hantée par certains des démons de ma mère.

Je n'ai jamais parlé de mes problèmes personnels avec Harry. Ma lutte contre la dive bouteille. Mon mariage raté. Ma fille qui s'est engagée pour se battre sans me demander mon avis. Ma relation longue distance avec un homme que je n'arrive même pas à joindre au téléphone. Compte tenu de ma situation, je suis mal placée pour donner des conseils à quiconque.

En revanche, je sais écouter. Mais ce matin, Harry devrait attendre.

Faux. Le téléphone a sonné juste au moment où je m'apprêtais à quitter la maison.

— Quel score avons-nous obtenu grâce à ces splendides talons aiguilles ?

— Je les ai mis pour témoigner au tribunal. (Après, je les ai jetés à la poubelle.)

— Je parie que tu n'as fait qu'une bouchée du jury tout entier.

— Bof. Tu sais, Harry, je partais au boulot...

Ma petite sœur ne s'est pas laissé démonter. Elle s'est lancée dans le récit de ses malheurs. Au nombre desquels figuraient le bris de la pompe de sa piscine, l'invasion d'algues consécutive et la commande des pièces de rechange. S'arrêtant à peine pour reprendre son souffle, elle a enchaîné avec une diatribe sur un gars surnommé le Hérisson.

— Je croyais que tu sortais avec un certain Bruce. Ou avec un astronaute. (Un certain Orange Curtain. La première fois qu'elle l'avait surnommé ainsi dans un texto, j'avais cru à une faute de frappe.)

— Orange avait la cervelle d'une perruche. Attends. Je suis injuste envers les oiseaux.

Le téléphone coincé au creux de l'épaule, je me suis faufilée au dehors et me suis retournée pour donner un tour de clé. Erreur de mouvement, l'appareil s'est envolé et a chuté sur le perron.

— ... sa marchandise, juste là, au beau milieu du salon ! Mais qu'est-ce qui rend les hommes si fiers de leur appareil génital, tu peux me dire ?

— Autrement dit, exit Orange.

— Sept carats ne suffiraient pas pour que je laisse cet abruti franchir ma porte à nouveau !

— Et Tory, tu prévois d'aller la voir, un de ces jours ?

Un long silence a accueilli ma question.

L'été dernier, Harry a découvert que son fils, Kit, a conçu une fille, aujourd'hui adolescente, alors qu'il n'avait que seize ans. Désormais, le père et la fille vivent ensemble à Charleston, en Caroline du Sud. J'ai donc une petite-nièce. Harry, quant à elle, n'a pas bien pris l'idée d'être grand-mère.

— Harry ?

— Tu te souviens combien Kit était fanfaron à l'école secondaire ? Tu veux me dire comment diable il va se démerder en tant que chef de famille, père d'une ado de quatorze ans ?

— Il a mûri, forcément. Et Tory est intelligente.

— C'est toi qui le dis.

— Tu es sa grand-mère.

— Ça aussi, c'est toi qui le dis !

Au MCME, mon téléphone clignotait comme un stroboscope sous amphétamines. Espérant trouver un message de Slidell, j'ai entré le code du répondeur.

Je suis tombée sur Truman Capote.

« Docteur Brennan. Pourrions-nous, s'il vous plaît, nous parler très vite, à votre convenance ? »

J'étais d'humeur positive, je me sentais calme, après ma conversation avec Harry.

Cette belle sérénité a éclaté comme une bulle au soleil et je me suis demandé d'où me venait cette réaction négative à l'égard de Dew.

Les agents fédéraux ont la réputation de mépriser les représentants de la police locale ; ce n'était pas le cas de Dew, qui ne s'était pas montré condescendant envers moi. Certes, il m'avait caché certaines informations, et il avait refusé de m'aider avec mon inconnue. Mais il était certainement convaincu de bien faire son travail.

Alors, pourquoi me méfiais-je de lui ?

Parce que je le soupçonnais de chercher à obtenir quelque chose de moi ?

Parce que, moi, je cherchais bel et bien à obtenir quelque chose de lui ?

J'ai appelé l'Agence des douanes et demandé Dew. J'ai été mise en attente par une réceptionniste hyper méfiante.

Une bonne minute plus tard, Dew a pris mon appel.

— Désolé de vous avoir fait attendre, docteur Brennan.

— Pas de problème. Quoi de neuf ?

— S & S Enterprises.

Je suis restée de marbre.

— C'est une société de portefeuille. Elle chapeaute d'autres sociétés aux activités très variées. Des fast-foods. Des magasins d'alimentation. Un bar, la John-Henry's Tavern.

Un bruissement de papier, et Dew a repris de sa voix précieuse, haut perchée :

— La majorité des actions de S & S est détenue par John-Henry Story et par son frère cadet, Archer. Parmi les associés minoritaires, on peut en retenir trois : Harold Millkin, Grover Pharr et Dominick Rockett.

— Autrement dit, Rockett est l'un des joueurs qui possèdent d'assez grosses cartes.

— Apparemment. Maintenant, quant à savoir comment il a acquis ses actions — en les achetant ou d'une autre manière —, cela demeure une inconnue. Ce qui est clair en revanche, c'est qu'au moment de sa mort John-Henry Story subissait de sérieux revers financiers.

Qui n'en connaît pas de nos jours ? ai-je pensé, tout en demandant tout haut :

— La S & S traversait une passe difficile ?

— Non, mais Story voulait prendre de l'expansion en injectant des capitaux, et il ne disposait pas des liquidités nécessaires. En plus de la S & S, il possédait une chaîne de pizzerias et quatre concessions automobiles dans lesquelles il perdait beaucoup d'argent.

— En Caroline ?

— Oui pour les pizzerias, non pour les concessions. Celles-ci étaient au Texas et en Arizona.

— Étaient ?

— La Saturn, ça vous dit quelque chose ?

— « Une voiture pas comme les autres », ai-je répondu, citant un des slogans publicitaires au moment du lancement de ce véhicule.

— La marque a été lancée par Pontiac au milieu des années quatre-vingt en réponse au succès croissant des voitures japonaises. Au début, les ventes ont été bonnes.

— Pour autant que je sache, c'est la partie recherche et développement qui n'était pas vraiment à la hauteur.

— Oui, c'est ce qu'on a dit. En tout état de cause, les ventes ont diminué. En 2010, General Motors a abandonné la marque. Pas mal de concessionnaires y ont laissé des plumes.

— John-Henry Story, notamment ?

— Oui. Quant à sa franchise de pizzerias, c'était un gouffre financier.

Je me suis calée dans mon siège pour mieux considérer toutes ces informations.

— À votre avis, comment ça s'est passé ? Story savait que Rockett avait des fonds, et il a pensé à lui pour consolider les réserves de la S & S ? Ou alors, c'est Rockett qui a découvert que la S & S cherchait de l'argent, et il a saisi l'occasion d'investir dans la société sans que ça lui coûte trop cher ?

— Dans un cas comme dans l'autre, ça ne nous dit rien sur l'origine des fonds de M. Rockett.

— Peut-être qu'il a travaillé pour Story ou l'un des autres partenaires et qu'il a été rétribué en actions ?

— Possible.

— Est-ce que Rockett admet connaître Story ?

— Je n'ai pas encore abordé cette question. (Avec raideur et sur un ton compassé.)

— Vous l'avez interrogé sur sa participation dans la S & S ?

— Je préfère ne pas trop asticoter M. Rockett. Je ne voudrais pas l'inciter à rechercher l'assistance d'un avocat. Pour l'heure, il croit risquer uniquement une amende. Pour avoir tenté de faire entrer au pays un objet sans indiquer sa provenance et sa juste valeur.

— C'est plus malin. Attendre d'avoir rassemblé tous les faits avant de lui tomber dessus.

Dew a pris une brève inspiration et embrayé :

— Et voici un détail intéressant. Plus j'avance dans l'enquête Rockett, plus je vois surgir votre nom.

— En relation avec différents cas, vous voulez dire ? Les momies de chiens, les restes de John-Henry Story et la victime du délit de fuite qui avait une carte de membre appartenant à Story ?

— Exactement.

— Et vous en tirez quelle conclusion, agent Dew ?

— J'espère juste que cela va vous donner matière à réflexion.

— Moi de même.

— J'attends impatiemment vos conclusions sur les chiens péruviens.

— C'est au premier rang de mes priorités.

Fin de la conversation. J'ai appelé Slidell.

Boîte vocale.

Est-ce qu'il m'évitait ? Est-ce qu'il rejetait l'appel en voyant mon numéro s'afficher sur son écran ?

Peu importe.

Pour l'heure, je devais achever l'étude de la quatrième série de radios des momies. Direction : la salle qui pue.

Du chien, rien que du chien.

J'ai regagné mon bureau, soulagée de constater que je ne m'étais pas trompée.

Pas de clignotant indiquant un message. Pas de courriel de Katy ni de Ryan.

J'ai rédigé mon rapport pour Dew, obnubilée par la question : Rockett ou Story connaissaient-ils mon inconnue ?

Frustrée de ne pouvoir y répondre, j'ai réduit la fenêtre du rapport destiné à l'Agence des douanes. Puis je me suis connectée sur Google, et j'ai fait défiler des photos de John-Henry Story. Des images que j'avais visionnées à l'époque de l'incendie, je me rappelais seulement que la victime était de petite taille.

« Rongeur », tel est le mot qui a pris forme dans mon esprit à la vue d'une photo parue dans l'*Observer*.

Prise quatre mois avant sa mort, elle montrait un type nerveux et court sur pattes, au front dégarni, aux joues décharnées et aux yeux noirs globuleux.

Rattus rattus.

Une autre photo prise pendant un match des Panthers. Une autre encore, devant une pizzeria Consigliore, faisant bonjour de la main à l'objectif.

J'ai pensé un moment me lancer dans une recherche complète sur Story, puis je suis revenue à mes moutons. Ou plutôt à mes toutous. Je n'avais que trop tardé à finir mon rapport.

Slidell m'a rappelée à midi. Pas trop tôt.

Je l'ai mis au courant de ce que m'avait appris Dew. Sa réponse :

— Les assiettes creuses réclament une merde bien tassée !

Je n'ai pas tenu compte de cette remarque.

— La victime du délit de fuite avait la carte d'accès de Story dans son sac. Rockett était associé minoritaire dans la société de Story, S & S.

— Où est-ce qu'un minable contrebandier a trouvé l'argent pour un tel investissement ?

— Présumé trafiquant. Ce que je veux savoir, c'est : quel est le lien entre Story et Rockett ? Est-ce que l'un ou l'autre est associé à mon inconnue ?

— Dès que j'aurai réglé mon problème de personne disparue…

— Il faut qu'on se renseigne sur la John-Henry's Tavern. Tâcher de savoir si Rockett y est allé avec Story. Ou l'un des deux avec mon inconnue.

— Dew a qu'à mettre Rockett sur le gril et lui chauffer un peu les couilles.

— Il n'y a que les momies qui l'intéressent en ce moment. Il est convaincu que les chiens sont le sommet d'un immense iceberg, et il ne veut pas effrayer Rockett et le pousser à prendre un avocat.

Sonnerie de téléphone en arrière-fond. Des voix. Un profond soupir.

— Je vous l'ai déjà dit, doc. J'ai le chef sur le dos à propos de la disparue…

— Vous voulez dire qu'il se fiche pas mal de l'enfant dans la chambre froide ?

— J'ai pas dit ça. Écoutez, j'ai fouillé les ateliers de débosselage. Personne a vu un véhicule endommagé devant, avec une hauteur de pare-chocs qui corresponde à ce qu'on a estimé.

— Et l'église Saint-Vincent-de-Paul ?

— Personne à l'église a jamais entendu parler de cette fille-là.

— Les cliniques ?

— Même chose.

— Les vêtements, les bottes ?

Silence bourdonnant sur la ligne.

— Déjà deux jours de passés, Slidell.

Il savait aussi bien que moi combien les premières quarante-huit heures sont importantes.

— Je vois pas vraiment l'intérêt d'aller enquêter dans ce bar-là.

— On aurait au moins l'impression de faire quelque chose.

— Me gratter le cul, c'est faire quelque chose.

— Vous connaissez la John-Henry's Tavern ?

— Ouais. Un vrai petit coin de paradis.

— On va y aller.

— Pour quoi faire ?

— On verra bien sur place.

— Je raccroche. Sauf si vous avez autre chose à me dire.

La grossièreté de Slidell a fait voler en éclats ma résolution d'être aimable avec lui.

— Laissez faire, j'irai toute seule ! (Avec une violence que je n'ai pas su contenir.)

— Non, vous irez pas.

— Très bien. J'irai pas.

— *Fuck*.

Pendant dix bonnes secondes, j'ai écouté l'air entrer et sortir en sifflant des narines de Slidell.

— Laissez-moi une demi-heure.

Chapitre 14

Le South End, juste en dessous de la partie chic de la ville de Charlotte, est un quartier disparate qui ambitionne sérieusement de se hisser sur l'échelle sociale. Et qui en gravit les échelons très vite.

Son établissement remonte aux années 1850, à l'époque où une ligne de chemin de fer est venue relier Charlotte, en Caroline du Nord, à Columbia et Charleston, en Caroline du Sud. Au fil des décennies, de petites manufactures ont poussé comme des champignons le long des voies, principalement sous l'influence d'une industrie textile en plein essor.

Avance rapide jusqu'aux dernières années du XX⁰ siècle.

Le quartier était alors totalement ignoré par la ville de Charlotte, qui se considérait comme l'image authentique du Nouveau Sud. Il faut dire que le South End n'avait guère à offrir aux visiteurs que des usines et des entrepôts abandonnés, ainsi qu'un stade de baseball où ne s'était jamais illustrée qu'une équipe de ligue mineure. Tout a changé dans les années quatre-vingt-dix, quand des promoteurs avisés ont reconsidéré la situation et décidé d'en faire un temple dédié au Dieu Dollar.

Aujourd'hui, le South End regroupe tout un assortiment de condos, de lofts, d'usines transformées en restaurants, boutiques, ateliers d'artistes, ainsi qu'un large éventail d'industries liées au design. Que vous recherchiez un accessoire pour votre salle de bains, du tissu ou un luminaire haut de gamme, le South End répondra à tous vos besoins.

Mais le passé s'accroche à Charlotte. Des garages minables, des usines abandonnées, des friches industrielles et une boîte de striptease viennent tempérer l'atmosphère BCBG que distillent désormais le Design Center of the Carolinas, le siège social de Concentric Marketing et l'église presbytérienne Chalmers Memorial.

Située presque à l'angle des rues Winifred et Bland, la John-Henry's Tavern se dressait au milieu d'un no man's land de béton fissuré qui luttait contre l'invasion écologique.

En face, un hangar sans fenêtre couvert de graffitis, emprisonné dans une clôture en grillage. Hormis un panneau ENTRÉE INTERDITE, aucune indication, nom ou raison d'être sur le bâtiment. De la ferraille encombrait une plateforme surélevée, sans doute jadis un quai de chargement : fûts de bière rouillés, table improvisée avec des planches, vieux piano droit tagué d'un crâne noir sur une lune d'argent.

Slidell a tourné à gauche dans le petit stationnement de la taverne. Le sol avait-il été un jour asphalté ? Impossible à dire. Ce n'était plus qu'un mélange de terre et de gravier.

— Dans les années soixante, c'était très animé, a-t-il remarqué en coupant le moteur.

— J'aurais dit dans les années vingt.

— Ça s'envoyait en l'air sur fond de musique de plage. Les propriétaires déversaient ici des camions de sable et y avait des guirlandes lumineuses dans la cour. Les jeunes trous de cul se croyaient à Myrtle Beach.

— C'était quand, tout ça ?

Slidell a fait passer son cure-dent du coin droit au coin gauche de sa bouche.

— Vers la fin des années soixante-dix.

— Et vous, détective, vous vous êtes aussi envoyé en l'air dans le coin ? ai-je lancé, un petit sourire aux lèvres.

Slidell m'a regardée comme si je venais de lui révéler que la Terre n'était rien d'autre qu'un immense gouda.

À quoi pensais-je donc ? À seize ans, le pauvre Skinny devait déjà avoir le foie encrassé.

— Qui vient par ici, aujourd'hui ? ai-je demandé.

— Des vieux trous de cul.

— Et ça, c'est quoi ? (Avec un mouvement du menton vers le bâtiment d'en face.)

— Dans le temps, c'était une fabrique de je sais pas quoi. Sert plus à rien depuis les années cinquante. À un moment, y a eu des bruits comme quoi ça allait être transformé en condos. Le projet a dû foirer. Maintenant, c'est plus qu'un paquet de soucis à cause des squatters.

Nous sommes restés un instant à considérer le but de notre visite.

Si l'on faisait exception de l'enseigne lumineuse Coors qui brillait derrière la vitre salie par la pluie, cette petite baraque en brique aurait pu passer pour une maison individuelle, avec son perron vers lequel montait un double escalier bordé par une rampe en fer forgé. La cheminée, à un bout du toit, suggérait la présence d'un foyer à l'intérieur. La peinture des boiseries, rouge pour la porte d'entrée, blanche pour le chambranle, était ternie et écaillée.

Curieusement, cette maison me rappelait quelque chose. Quand étais-je donc passée devant ?

Probablement à l'époque où Katy, avant d'être engagée par le Bureau du procureur, avait travaillé comme serveuse au Gin Mill, un pub irlandais branché situé non loin de là. J'avais dû me tromper de route, un jour ou l'autre.

La Taurus de Slidell avait pour compagnons de stationnement un pick-up et cinq voitures qui avaient certainement un bon paquet de kilomètres au compteur.

Je m'apprêtais à faire un commentaire quand un homme en sweatshirt est apparu au coin du bâtiment et s'est avancé d'un pas mal assuré vers une Honda Civic blanche. Nous l'avons regardé s'asseoir au volant et quitter les lieux.

— On y va ? ai-je demandé à Slidell.

Prenant son grognement pour un oui, je suis descendue de voiture. Une pluie lente et constante crépitait tout autour.

Slidell s'est extrait du véhicule. Il a remonté son pantalon, calé son arme au creux de ses reins, et s'est dérouillé les épaules. Un coup d'œil à gauche, à droite, et il s'est élancé vers le perron d'une démarche chaloupée. J'ai suivi.

Comme on pouvait s'y attendre, la direction de l'établissement n'avait pas investi des fortunes dans l'éclairage. Même chose pour l'entretien. Ça puait la sueur, la friture et la fumée.

Le temps que mes yeux s'adaptent à la pénombre, je me suis concentrée sur l'examen des lieux. À en juger par la tension de ses épaules, Slidell prenait aussi la mesure de l'endroit.

Des tables en bois et des chaises dépareillées occupaient l'espace. À droite, contre le mur, un juke-box. Au fond, sous un long miroir entouré d'un cadre doré, un bar en forme de L. Au bout du comptoir, une seconde porte, maintenue ouverte par une espèce de gargouille ou de nain de jardin.

Sur tout le mur de gauche, une série de panneaux d'affichage plaisamment baptisée STORY BOARD. Toute la vie de Story punaisée là. En tout, un bon milliard de photos.

À droite, une arche qui donnait sur une autre salle. Là, une douzaine de tables, toutes inoccupées, et un couloir qui menait probablement vers la cuisine et les toilettes.

Dans la première salle, autour d'une table pour quatre, un trio en tenue de travail et bottes à bout d'acier, trois casques posés à leurs pieds. Devant chacun, une assiette avec un hamburger aussi gros qu'une montagne.

Au bar, tournant le dos à la galerie de photos, deux hommes et une femme séparés par des tabourets vides. Les hommes, en kangourou, jeans et chaussures de jogging, buvaient de la bière. Assez vieux pour s'être envoyés en l'air ici, à l'époque de Myrtle Beach.

La femme portait un pantalon en stretch noir et un tee-shirt rose qui proclamait : ARRÊTE DE REGARDER MES SEINS. Avec ses cheveux gris permanentés et ses rides, elle aurait pu être la mère des deux hommes. Dans son verre, un liquide couleur de thé. Du bourbon, à coup sûr.

Côté poids, le barman n'avait rien à envier à Slidell. Mais sa graisse, plus compacte, était répartie selon des courbes plus orthodoxes. Un mètre quatre-vingts sur la pointe des pieds, des yeux bleus chassieux, le crâne rasé. Une sorte d'oiseau tatoué sur l'avant-bras.

Ayant mémorisé la disposition des lieux, Slidell s'est avancé vers le bar.

— Ça va ?

Yeux chassieux a continué à triturer son torchon.

Slidell a fait semblant de regarder autour de lui.

— Les affaires ont l'air de bien marcher.

— Je vous sers quoi ?

Slidell a déplacé son cure-dent.

— Un accueil plus chaleureux ?

— T'es une police.

— T'es un génie.

Le silence s'est fait à la table des ouvriers. Les buveurs de bière se sont trémoussés sur leurs tabourets.

La femme aux seins roses ne manquait pas une miette de la scène.

— Je suis en règle, a fait Yeux chassieux en désignant du pouce la licence accrochée au mur derrière lui.

Les deux mains à plat sur le bar, Slidell s'est redressé, bien planté sur ses jambes.

— Et si on commençait par ton nom ?

— Et si on commençait par ton badge ?

Slidell a produit sa plaque.

Yeux chassieux y a jeté un coup d'œil et regardé Slidell.

— Ton nom ? Ou j'ai commencé par une question trop compliquée ?

— Sam.

Slidell a haussé les sourcils, attendant la suite.

— Sam Poland.

— Y a longtemps que tu travailles ici, Sam ?

— C'est quoi, le problème ?

— Hé, Sam, qu'est-ce t'as encore traficoté ? T'as écrabouillé la carcasse d'une fille ? a lancé la femme aux seins roses sur un ton rigolard, et elle a descendu une bonne moitié de son verre.

— La ferme, Linda.

Poland a fait signe à Slidell de se rapprocher un peu de l'endroit où je me tenais.

— C'est qui, la poulette ? (Avec un mouvement de tête dans ma direction.)

— Lady Gaga. On prépare un numéro ensemble.

Poland a serré les dents.

— Je disais donc, Sam : y a combien de temps que tu travailles dans ce club champêtre ?

— Douze ans.

— Parle-moi un peu de Dominick Rockett.

Poland a étudié le torchon qu'il tenait dans ses mains. Des mains rouges et tavelées, ai-je alors constaté. De l'eczéma, sans doute.

— Je te parle, enfoiré.

— C'est du harcèlement.

— Rockett, y vient boire ici ?

Poland a haussé les épaules, comme s'il ne comprenait pas.

— Ça veut dire ?

— Si le client a l'air d'avoir l'âge légal, je lui demande pas sa pièce d'identité.

— Le gars a le visage comme si on l'avait passé au chalumeau. Ça t'aide ?

— J'ai peut-être vu quelqu'un comme ça.

— En compagnie de John-Henry Story ?

— Qui ça ?

— Tu sais, Sam, je commence à trouver que tu me fais perdre mon temps. Et les gens qui me font perdre mon temps, y me font vraiment chier.

— Désolé de pas pouvoir t'aider.

— Tu dis que t'as jamais entendu parler de John-Henry Story ?

Poland a de nouveau haussé les épaules.

Se mouvant à une vitesse étonnante pour un homme de son gabarit, Slidell s'est penché vers le type, l'a attrapé par le cou et tiré à lui jusqu'à ce que leurs deux fronts se touchent.

Tout le monde s'est figé dans la salle.

— Je trouve ça bizarre, Sam. Vu que Story, c'est le gars qui te signait tes chèques de paye.

Poland avait beau se débattre, Slidell lui tenait la tête serrée comme dans un étau.

— Je peux aller dans ma voiture et regarder ce qu'on a sur toi dans tous les fichiers informatisés de la ville, du comté, de l'État, et de l'univers. La moindre facture impayée, la plus petite taxe, le plus petit retard dans le paiement de ta pension alimentaire, une contravention de rien du tout, et je te fais bouffer tes couilles.

La lumière de l'enseigne au néon accrochée au-dessus du bar éclairait en bleu et vert les postillons que Slidell projetait sur le visage de Poland. Même Linda demeurait silencieuse.

Pour éviter les crachats de Slidell, je me suis rapprochée des tableaux d'affichage. Poland se sentirait aussi peut-être plus libre de parler loin des oreilles indiscrètes. Et je me suis mise à regarder les photos en feignant l'intérêt.

Visiblement, la collection avait commencé bien avant les années Nixon. C'était un mélange de clichés à bords dentelés, de tirages standard effectués par la pharmacie du coin, et de Polaroïd aux couleurs passées.

J'ai fouiné dedans, en soulevant l'un ou l'autre pour regarder celui d'en dessous.

Un cliché en noir et blanc d'un coupé Chevrolet avec des pneus à flancs blancs et le chauffeur en chapeau Fedora, le coude sur la portière. Une photo couleur d'un garçon, un canotier sur la tête et les lettres LBJ écrites sur le ruban. Ailleurs, deux paires de fesses nues : clic-clac, merci Kodak !

Les beaux jours de l'ère Myrtle Beach immortalisés sur des dizaines de photos. Des couples virevoltant sous les guirlandes lumineuses, des tablées de gens serrés, épaule contre épaule, souriant à l'objectif.

Des souvenirs de réveillons, la salle, la cheminée, le haut des murs festonnés par des chapelets de ballons. Des convives en shorts et robes d'été sur la terrasse, par une belle journée ensoleillée. Des ivrognes en chapeaux verts, bardés de trèfles irlandais et brandissant des chopes de bière.

Des gars en combinaison de travail. Des femmes en pantalon moulant et talons aiguilles. Des couples plus serrés l'un contre l'autre que des cuillères dans un tiroir. Des hommes d'affaires en costume. Des jeunes de vingt ou trente ans en total look Nike ou Adidas. Des équipes sportives en survêtements bariolés. Des quatuors et des sextuors d'étudiants.

Au fil des ans, les tenues et les coiffures changeaient. Longues franges. Permanentes incroyables. Têtes rasées. Piercing dans les narines ou les lèvres.

Bref, l'impression de passer en revue les différentes strates d'un chantier archéologique.

Derrière moi, Slidell continuait de marteler Poland. Les buveurs de bière et Linda ne disaient pas un mot. Les travailleurs avaient repris leur conversation, mais à voix basse.

Comment une telle collection s'était-elle constituée ? me suis-je demandé en passant d'un panneau à l'autre. Quoi qu'il en soit, elle perdait de son charme dans les dernières années. Avec l'arrivée du numérique, les photos se faisaient plus rares.

Et puis, au bout du dernier tableau d'affichage, j'ai repéré Story. Si c'était bien lui.

De l'ongle, j'ai discrètement fait sauter la punaise et pris la photo.

Ouais. *Rattus rattus.*

À côté de lui, une femme vêtue d'une robe bain-de-soleil vert pomme au décolleté spectaculaire. Les deux levaient une flûte de champagne. Elle souriait. Lui pas.

Près de la femme, séparé d'elle par un tabouret de bar, un jeune aux cheveux blonds. Sa posture avachie suggérait l'absorption d'une bonne vingtaine de bières. La photo avait été prise deux ans plus tôt, à en juger par l'année brodée sur son blouson d'université.

Requinquée, j'ai poursuivi mon exploration.

Et touché le gros lot !

Je connaissais le prix terrible de la guerre pour avoir vu quantité de photos d'anciens combattants. En grande tenue, menton dressé, les traits ravagés mais exprimant une indéniable fierté. Prenant la parole lors de rassemblements, ou donnant le bras à de ravissantes fiancées.

J'avais beau savoir que Dominick Rockett avait été gravement brûlé, je ne m'attendais pas à de tels dégâts. Sur le côté gauche du visage, ni cils ni sourcils et un front bulbeux au-dessus d'une orbite sans paupière. Des lèvres gonflées et de travers, une narine fondue dans la joue et qui ressemblait à de la bouillie congelée.

Le côté droit paraissait normal, pour peu qu'on oublie l'absence de poils et la peau, lisse comme du plastique. Le tout sous un bonnet en tricot tiré très bas sur le front.

Face à un tel ravage, la pitié m'a saisie. Voilà l'image de lui-même que Rockett pouvait contempler dans le miroir tous les jours en se levant. L'image que son esprit lui renvoyait quand quelqu'un détournait le regard à sa vue. Quand un enfant le fixait, les yeux ronds, ou poussait un cri effrayé.

Mon Dieu, quel prix à payer !

Mon regard s'est déplacé vers l'homme qui partageait sa table. Sec et nerveux, les joues creuses et des petits yeux de rongeur.

Un bref coup d'œil derrière moi, et j'ai décroché cette seconde photo. Je les ai glissées toutes les deux dans mon sac. Après cela, retour au bar.

Slidell avait lâché Poland, mais continuait de le soumettre à un feu roulant de questions. Les buveurs de bière et la femme aux seins roses demeuraient concentrés sur leurs verres.

— … te l'ai dit, vieux. J'en sais rien !

— Tu sais pas grand-chose, enfoiré.

Après quelques raclements de gorge insistants de ma part, Slidell m'a enfin fait la grâce d'un coup d'œil. Du menton, j'ai désigné la porte.

Il a froncé les sourcils, puis a jeté encore deux questions à l'adresse du serveur. Sans rien y gagner, juste pour marquer son territoire. Dirty Harry en action !

Tout en déballant la phrase habituelle sur le coup de fil à passer au cas où, Slidell a posé bruyamment sa carte sur le comptoir et nous sommes partis.

Dans la Taurus, j'ai sorti les photos volées et nommé les participants. Slidell a étudié les visages sans faire de commentaire. Ce qui m'a surprise.

— Donc, Story et Rockett sont copains de beuverie, a-t-il fini par lâcher.

— Je ne sais pas. Mais ça prouve en tout cas qu'ils se connaissent.

— Qu'est-ce que vous diriez d'aller voir ça de plus près ?

— Ouais. Mais attention, Dew ne veut surtout pas effrayer Rockett.

— OK.

La boucle de ma ceinture de sécurité n'avait pas encore trouvé son fermoir que nous roulions déjà.

Chapitre 15

Rockett habitait près de l'autoroute 51, dans l'un de ces tentacules que Charlotte projette très loin vers le sud-ouest. Slidell a passé la moitié du trajet à me raconter ce que Poland lui avait dit. Pratiquement rien.

À force de le questionner, il avait réussi à lui faire cracher qu'il avait bel et bien vu le propriétaire de la taverne à plusieurs reprises. D'après lui, Story n'était pas grand buveur, et ne copinait pas avec le personnel.

Il venait généralement avec des hommes, et plutôt pour parler affaires que pour prendre du bon temps. Mais ça, c'était plus une impression qu'autre chose, parce que Story n'était pas du genre souriant.

Quant à la collection de photos, Poland n'avait pas la moindre idée de qui l'avait commencée. Ou poursuivie. Ça remontait à bien avant son arrivée.

Pour ma part, un point me tracassait depuis notre départ de la taverne, cette absence de discrétion de la part de Story et Rockett. J'en ai fait part à Slidell.

— Que voulez-vous dire ? a-t-il répliqué en tournant la tête vers moi, juste avant d'enfourner une gomme à mâcher.

— Pourquoi acceptent-ils que leur photo soit affichée aux yeux de tous ?

— Les crétins sont peut-être même pas au courant.

Possible.

Trente minutes après avoir quitté South End, Slidell a repéré un panneau portant l'inscription : LES FLEURS.

Prétentieux, je sais. Mais les résidents de Charlotte aiment baptiser leurs quartiers.

Ici, les habitations étaient principalement des ranchs ou des maisons semblables à un ou deux étages datant des années soixante et soixante-dix : superficie réduite, garage séparé et manque de variété dans la couleur du revêtement, systématiquement pastel.

Des rues sinueuses, bordées d'arbres et portant des noms de fleurs. De l'allée des Soucis à l'avenue des Coquelicots, c'étaient les mêmes jardins clôturés sur l'arrière et les mêmes pelouses bien tondues sur le devant. Çà et là, un vélo ou un scooter abandonné dans une allée, appuyé contre un escalier, un porche ou un muret.

Un quartier qui évoquait des enfants, des chiens et des retraités. Comment Harry appelait-elle ce genre de maison, déjà ? Des maisons pour y fonder une famille et y finir sa vie.

Arrivé dans l'impasse des Azalées où demeurait Rockett, Slidell s'est rangé le long du trottoir. Derrière deux magnolias, deux ranchs, l'un saumon, l'autre vert amande. Un peu en contrebas, derrière un pin, une de ces « boîtes à sel », comme on désigne en Nouvelle-Angleterre ces maisons à deux étages en façade et un seul à l'arrière, protégée par un toit qui descend plus bas que sur le devant de l'habitation.

— Y a rien qui vous paraît bizarre ?

Slidell avait effectué un demi-tour dans ce cul-de-sac de façon à être tourné vers la sortie et, tout en mâchonnant sa gomme frénétiquement et à grand bruit, il scrutait la rue que nous venions d'emprunter.

J'ai suivi son regard. Rien que des portes closes, des fenêtres vides et des quantités d'azalées sans fleurs.

— Ça m'a l'air plutôt tranquille.

— Diablement tranquille.

— On est au bout d'une rue de banlieue, c'est jeudi après-midi et il pleut.

— Le gars vit dans un foutu cul-de-sac, a dit Slidell en défaisant sa ceinture.

Un flash. Le visage dans mon sac à main.

Une vague de pitié m'a submergée, suivie d'un sentiment de malaise. Allais-je découvrir un Rockett aussi défiguré que le laissait imaginer la photo ? Était-ce pour cela qu'il avait choisi de vivre dans un « foutu cul-de-sac » ?

— La maison de Rockett n'est pas très tape-à-l'œil.

— Cette vermine est soit un minable trafiquant, soit un enfant de chienne qui se méfie.

— Vous savez depuis combien de temps il habite ici ?

— Acte de vente enregistré à son nom en 1991.

— Alors il a acheté la propriété peu après sa sortie de l'armée. Une hypothèque ?

— Nan.

— Il avait peut-être des économies. Ou alors il a obtenu un héritage.

Slidell s'est raclé une molaire avec son pouce et a repris sa mastication.

— Je me demande ce que les voisins pensent de ses talents de jardinier.

En effet. Que ce soit dû à l'ombre du pin ou au manque de soin, la pelouse ressemblait à une mosaïque de boue et de mauvaises herbes, alors qu'elle était d'un vert luxuriant partout ailleurs.

— On y va.

— Oui, mais rappelez-vous, l'ai-je prévenu. Dew sera furieux si Rockett engage un avocat à cause de nous.

— Ouais ouais.

Je me suis dirigée vers la maison. La pluie fraîche sur mes joues m'a fait l'impression d'une caresse. Je me suis concentrée sur cette sensation pour me vider la tête de la pitié que m'inspirait Rockett.

La vider aussi de l'angoisse que m'inspiraient Katy et les engins explosifs improvisés.

La porte, peinte en brun pour s'accorder au revêtement, arborait en guise de heurtoir un canon en fer forgé noir. Slidell a cogné. Recommencé.

On entendait au loin les voitures sur l'autoroute 51. Mais pas un bruit à l'intérieur de la maison.

Slidell s'apprêtait à frapper pour la troisième fois quand un verrou a cliqueté.

Il s'est raidi.

Moi aussi.

Ce n'était pas un effet d'éclairage désavantageux. De toute évidence, ce visage aux chairs meurtries n'avait bénéficié d'aucune chirurgie ou reconstruction depuis le jour où la photo avait été prise.

Il ne faisait pas froid, et pourtant Rockett portait un bonnet en tricot noir, tiré jusqu'à l'endroit où il aurait dû avoir des sourcils. Ses doigts cireux et pâles, agrippés au chambranle, étaient dépourvus d'ongles. Près du poignet, au ras de la manche de son chandail, on apercevait l'extrémité d'un tatouage.

Rockett nous a dévisagés, Slidell d'abord, moi ensuite. Le côté droit de son visage s'est crispé en une grimace, le gauche est resté immobile.

Je me suis forcée à demeurer impassible.

Slidell a présenté son badge.

— Police de Charlotte-Mecklenburg.

L'œil unique de Rockett a dévié sur le badge puis est revenu sur nous.

— C'est à quel sujet ?

Il avait une voix rauque et profonde.

Slidell a sorti son baratin habituel.

— Qu'est-ce que vous me voulez ? a répliqué l'autre.

— Vous tenez à ce qu'on fasse ça devant les voisins ?

— Vous en voyez, des voisins ?

Slidell a croisé les bras, campé sur ses jambes écartées.

— On peut aller au poste, si vous préférez.

— Vous avez un mandat ?

— Parce que je devrais en avoir un ?

— À vous de me le dire.

Une joute oculaire a commencé. À l'avantage de Rockett, un cou solide et un corps tout en muscles. Un chandail avec des creux et des bosses laissant imaginer des heures passées à s'entraîner.

Imitant son visiteur inattendu, il a croisé les bras, dressé comme un coq sur ses ergots.

Côté Slidell, un visage qui commençait à s'empourprer. J'ai décidé d'intervenir :

— Ce ne sera pas long.

J'ai assorti ma phrase d'un sourire engageant pour désamorcer l'affrontement macho.

— Vous êtes qui ? (Le regard rivé sur Slidell.)

— Je suis le Dr Temperance Brennan…

— Madame travaille à la morgue.

La joue droite de Rockett a peut-être tressailli. Une pause, le temps d'un battement de cœur, puis il a inhalé par sa bonne narine et relâché l'air lentement. Je me suis dit qu'il allait nous envoyer promener.

— Dix minutes.

Sur ce, il a reculé.

Slidell a craché sa gomme dans l'herbe avant d'entrer. Je l'ai suivi dans un vestibule aveugle au dallage noir et blanc. À gauche, une porte-accordéon. Sur le mur, à droite, des patères où étaient accrochés un bonnet en tricot et un coupe-vent noir.

Rockett nous a conduits dans un salon. D'épais rideaux étaient tirés devant la baie vitrée. Le seul éclairage venait d'une télévision à écran plat de la taille d'un panneau publicitaire. Le son était coupé, et les informations sportives qui défilaient sur l'écran projetaient sur la pièce une lumière sautillante, presque stroboscopique.

Face à la télévision, un canapé en cuir brun. De part et d'autre, de vieilles tables en bois et fer, style brocante chic. Perpendiculaire au canapé, un fauteuil inclinable d'une taille éléphantesque, la télécommande abandonnée sur un bras.

Sur le mur du fond, des étagères occupées à moitié par du matériel audiovisuel. Un bateau dans une bouteille. Un thermomètre-baromètre. Des photos représentant pour la plupart des hommes en uniforme. Un écusson encadré. J'ai reconnu l'ancre et l'aigle du Corps des marines sur un disque rouge. En arc de cercle au-dessus, les mots TEMPÊTE DU DÉSERT, et en dessous FORCE OPÉRATIONNELLE RIPPER.

Posés par terre de chaque côté de l'étagère, des objets plus volumineux. Un pectoral en métal. Une défense sculptée. Un récipient en céramique peinte. Une hache de guerre. Le tout paraissant très ancien.

J'ai croisé le regard de Slidell. Il a hoché la tête. Il avait noté, lui aussi.

Rockett a désigné le canapé, mais il est resté debout. Tout comme Slidell. J'en ai fait autant.

— Le compteur tourne, a déclaré Rockett.

— Épargnez-nous vos commentaires.

Le dos de Rockett, droit comme un I, s'est encore redressé.

— Quel est votre nom, déjà ?

— Slidell.

— Attaquez, Slidell.

— Et si on parlait chiens volés ?

Un éclair a brillé dans le bon œil de Rockett. Surprise ? Soulagement ? Il n'a pas dit un mot.

Slidell a attendu.

Enfin, Rockett a laissé échapper un son sec et sifflant, comme de l'air passant à travers un filtre.

— Vous avez parlé à ce pédé de Dew ?

Slidell n'a ni confirmé ni infirmé.

— Vous attendez ma réaction ? a demandé Rockett.

— Vous voulez réagir ?

— Est-ce que ça vous fera partir plus vite d'ici, vous et la bonne sœur ?

— Possible.

— « Volé » n'est pas le terme qui convient, a repris Rockett.

— Éclairez ma lanterne.

— J'ai acheté les chiens à un paysan. Le pauvre gars avait tellement envie de les vendre qu'il a presque pissé dans son caleçon.

— L'Agence des douanes ne voit pas d'un bon œil la contrebande de reliques.

— Je ne savais pas qu'ils étaient vieux.

— C'est votre passe-temps, d'acheter des momies d'animaux ?

— Dew n'a rien de concret à me reprocher.

Je savais où Slidell voulait en venir : faire croire à Rockett que notre présence avait pour motif le trafic d'antiquités. Une fois sa proie endormie, il lui sauterait à la gorge.

Pendant que les hommes discutaient, j'ai jeté un coup d'œil de l'autre côté du couloir. Une future salle à manger probablement, dans l'esprit de l'architecte. Mais à la place de la table, des chaises et du buffet, il y avait là un banc de musculation avec des poids, une barre de traction, un sac de boxe, un tapis de course et un vélo elliptique.

— L'Agence des douanes vous trouve louche, a déclaré Slidell.

— Ils n'ont rien contre moi.

— Ah ouais ? Et vous avez acheté toute cette cochonnerie chez Walmart ? a répliqué Slidell, le pouce pointé en arrière par-dessus son épaule.

— Tout ce que je possède a été acquis légalement, j'ai tous les documents requis. Quelqu'un veut vendre, j'achète. Quelqu'un veut acheter, je vends.

— Ça se peut. Mais, à partir de maintenant, un pas de travers, et vous vous retrouvez avec un gant de latex là où je pense.

— Vous irez doucement, parce que je suis vierge de ce côté-là.

— Vous vous croyez plus brillant que moi ? a dit Slidell, et son ton indiquait que la moutarde commençait à lui monter au nez.

— La pisse d'âne est plus brillante que toi !

Là, Slidell a atteint ses limites :

— J'espère que t'as bien tous tes papiers rangés en ordre, trou de cul. Parce que Dew va décortiquer toutes tes déclarations d'impôts, tes comptes bancaires, tes remboursements de crédits, jusqu'à ta plus petite facture de plombier.

Rockett s'est contenté de le fixer. L'air un tantinet moins sûr de lui ?

— Si jamais t'as baisé le fisc, tu vas le regretter. (Slidell, l'air mauvais.) Au cas où tu le saurais pas, la femme de Dew est péruvienne. Il prend ça personnel. Et c'est pas les contacts qui lui manquent, là-bas. Tu fais foirer sa saisie, je parie plus un sou sur ta gueule. T'auras plus qu'à te trouver une autre base d'opérations. Sur Mars, tant qu'à faire !

Si j'avais les plus grands doutes quant à la véracité des dires de Slidell à propos de la femme de Dew, en revanche j'étais sûre et certaine que cette partie du discours ne plairait pas du tout à l'agent des douanes. Je l'ai quand même laissé poursuivre sur sa lancée.

— Chaque sou que t'as gagné dans ta vie, chaque sou dépensé, Dew en vérifie les colonnes de chiffres. Il appelle tes acheteurs, tes fournisseurs, réclamant les dossiers par voie judiciaire. Tu crois que ton fermier et ses *amigos* vont aller en taule pour tes beaux yeux ? La seule question, c'est à quelle vitesse est-ce qu'ils vont *hablo* pour sauver leur cul.

Un silence a suivi. Que Rockett a fini par rompre.

— En quoi mes démêlés avec les douanes intéressent-ils la police de Charlotte ?

— C'est mon territoire.

Rockett a regardé sa montre. Puis, à Slidell :

— C'est tout ?

— Non. Y a autre chose. Parle-moi de ton copain, John-Henry Story.

— Connais pas.

Le visage de Rockett était resté parfaitement impassible. Seuls les doigts de sa main valide s'étaient un peu recroquevillés. J'ai opté pour l'intervention. Au diable ! De toute façon, Slidell avait déjà mis le feu aux poudres.

— Cela risque de vous mettre dans un sérieux pétrin, de mentir à un policier.

J'ai sorti les photos du bar. Rockett y a jeté un bref coup d'œil mais n'a pas réagi. J'ai repris :

— L'agent spécial Dew sait que vous détenez une part du capital de S & S Enterprises. Il est au courant de votre association avec John-Henry Story.

— Pas de commentaire. (Sans presque ouvrir les lèvres).

— Et sur la façon dont Story s'est débrouillé pour mourir dans l'incendie, vous n'avez rien à dire non plus ?

Rockett n'a pas répondu à cette question de Slidell.

— Voici ce que Dew se demande, a enchaîné Slidell, le contour du visage éclairé par les flashs multicolores provenant de la télé. Où est-ce qu'un importateur mineur comme toi trouve l'argent pour jouer dans la cour des grands ?

Toujours aucune réaction.

— Un homme d'affaires d'ici qui disparaît dans les flammes, et un petit importateur de merde qui est bourré d'argent.

Slidell a reproduit de ses deux mains l'oscillation des plateaux d'une balance.

— Vous croyez que j'ai quelque chose à voir avec la mort de Story ? s'est ébahi Rockett tandis que, derrière lui, un arbitre levait les bras au-dessus de sa tête. *Fuck !* Vous êtes complètement fous ou quoi ?

Manifestement, il était à deux doigts de perdre sa belle assurance. Je suis allée droit au but.

— Il y a deux jours, une jeune fille a été écrasée par un chauffard, près d'Old Pineville Road.

J'ai sorti une de mes affichettes. Rockett lui a accordé une nanoseconde d'attention.

— Elle n'est pas morte sur le coup. Elle a réussi à se traîner sur l'accotement de la route où elle est décédée un peu plus tard dans d'atroces souffrances. Seule et terrifiée.

L'œil intact de Rockett s'est vissé au mien.

— Et vous me racontez ça parce que… ?

— Cette jeune fille avait dans son sac quelque chose appartenant à John-Henry Story.

— Et alors ? (Un ton plus glacial que la banquise.)

— Le détective Slidell vous a-t-il précisé qu'il appartient à la brigade des homicides ?

Le visage déformé s'est modifié d'une manière impossible à interpréter. J'ai agité l'affichette.

— Vous connaissiez Story, et cette fille connaissait Story. Savez-vous comment elle s'appelle ?

— Mary Poppins, bordel !

Mon sang n'a fait qu'un tour. Héros de guerre ou pas, ce type était répugnant.

— Autre chose. Les analyses ont révélé la présence de liquide séminal sur son corps. Les échantillons sont en cours d'analyse pour identifier l'ADN.

Rockett a haussé les épaules.

— Ben allez-y, faites vos tests !

— La fille avait sur elle une carte au nom de Story, est intervenu Slidell qui partageait visiblement mon dégoût. Story. Ton partenaire en affaires et ton copain de beuverie ! Tu comprends pas que t'es concerné au premier chef, trou de cul ? Qui c'est, cette fille-là ?

— Foutez le camp d'ici !

Slidell n'a pas bougé.

— Un autre fait, monsieur Rockett, ai-je repris sur un ton glacé. Hier, on m'a transmis un tuyau. Quelqu'un qui disait connaître la victime a affirmé qu'elle avait peur.

— Et alors ?

— Quelque chose ou quelqu'un terrorisait cette enfant. (En agitant l'affichette sous le nez de Rockett.) Je saurai de qui ou de quoi il s'agissait, vous pouvez en être sûr.

D'un geste plein de colère, Rockett a fait tomber le papier de ma main. Je l'ai récupéré par terre et posé sur la table, la photo bien en vue.

— Peu importe le temps que ça prendra, je saurai le nom de cette jeune fille. Quant au détective Slidell, il n'arrêtera pas ses recherches tant qu'il n'aura pas attrapé son assassin. Vous nous avez menti à propos de Story en affirmant ne pas le connaître. Vous deviez avoir une bonne raison pour agir ainsi. Mais ce mensonge vous implique dans l'affaire.

— Et oublie pas une chose, trou de cul, a ajouté Slidell, le visage tout contre celui de Rockett. Je suis complètement fou.

Sur ce, nous avons regagné la voiture.

Fin de l'épisode.

Les dix jours suivants n'apporteraient rien de nouveau sur la jeune fille au sac rose qui reposait à la morgue, dans la chambre froide.

DEUXIÈME PARTIE

Chapitre 16

Samedi. Réveil dans un tire-bouchon de draps qui me serrait plus fort qu'un boa constrictor. Pourtant, je n'avais aucun souvenir de m'être débattue dans mes rêves.

Les yeux pas vraiment en face des trous, j'ai tourné le radio-réveil vers moi : 8 h 45

Pas de Birdie à l'horizon.

Quand son petit-déjeuner ne lui est pas servi à l'heure, mon chat se met à me mâchonner les cheveux ou à malmener la plante artificielle sur la commode. Très malin. Son petit jeu marche à tous les coups.

Bizarre qu'aujourd'hui il ne m'ait pas rappelée à la vie par une torture quelconque. Trop occupé à digérer son gruau aux œufs ?

Pourtant, il avait eu droit à ses croquettes préférées. Des Iams, qu'il avait dévorées sans se douter que je lui refilais la formule pauvre en matières grasses.

Redressée sur un coude, j'ai parcouru la pièce des yeux. Birdie demeurait invisible.

En revanche, une odeur de café montait du rez-de-chaussée.

Accompagnée d'une musique en sourdine. *Good Day Sunshine* ?

Intriguée, j'ai enfilé des survêtements et pris la direction des escaliers.

En bas, une boîte de beignes sur la table de la salle à manger. Assiettes, couverts, serviettes. Beurre et confiture. Dans le bureau, les Beatles chantaient qu'ils avaient envie de rigoler. J'ai poussé la porte battante donnant sur la cuisine.

Pete. Devant le plan de travail, en train de remplir des verres de jus de fruit.

— Bonjour, petite culotte en sucre ! Je ne t'ai pas réveillée, au moins ?

Y a-t-il une réponse à cette question qui ne soit pas sarcastique ? Mon cerveau n'en a trouvé aucune.

— Qu'est-ce que tu fabriques chez moi ?

Aussitôt, une peur panique m'a saisie.

Qui a dû se lire sur mes traits, car Pete a levé la main en un geste d'apaisement.

— T'en fais pas, Katy va bien.

— Tu l'as eue au téléphone ?

— Elle va bien.

— Ce n'est pas ce que je t'ai demandé.

Pete a rangé le carton de jus de fruit au frigo et s'est tourné vers moi. Son sourire s'est crispé dès qu'il a détaillé ma tenue et mes cheveux ébouriffés. Sûrement un sillon laissé sur ma joue par le pli du drap.

— Tu ne vas pas commencer ! (Avec un regard mauvais entre mes paupières plissées.)

— Quoi encore ? (Pete, dans son rôle de petit garçon modèle.)

— Beaucoup trop tôt pour une critique vestimentaire.

— Tu es superbe, ma petite culotte en sucre.

— Ne m'appelle pas comme ça.

— Tiens, bois ça. C'est bourré de vitamines.

— On croirait entendre une pub pour Tropicana. (En prenant le verre.)

— N'empêche que c'est vrai. Santé !

Pete a fait tinter son verre contre le mien.

— Où est Bird ? ai-je demandé entre deux gorgées.

— En train de digérer son pâté.

— Tu lui as donné du pâté ?

— Relaxe. C'était du foie de poulet, pas d'oie.

— Il est au régime, sur ordre du vétérinaire.

— Il s'est bien gardé de me le dire.

J'en étais encore à lever les yeux au ciel quand le chat a fait son entrée. Pete l'a pris dans ses bras.

Birdie s'est mis à ronronner comme une moto Ducati roulant à 130 km/h. Il aime mon ex. L'a toujours adoré.

— Tu sais que tu as été cambriolée ?

— Quoi ?

J'ai promené un regard affolé tout autour de la cuisine.

— Ton frigo, dévalisé.

— Tu es tellement drôle.

— Non, sérieux. Il est complètement vide.

— J'ai été assez prise ces derniers jours.

— Le délit de fuite ?

— C'est pour ça que tu es ici ? Pour t'assurer que je m'alimente comme il faut ?

— Madame… (Avec un mouvement du bras en direction de la porte.) Pouvons-nous suspendre la séance pour une pause-café ?

— Ce n'est pas un piège pour m'entraîner dans ta grande épopée nuptiale ?

— Non, ce n'est pas pour ça que je suis ici ce matin.

Nous avons rempli nos tasses et sommes passés à la salle à manger. Pete a pris place en face de moi.

— Du beurre et de la confiture ? ai-je dit en levant un sourcil interrogateur.

— On ne sait jamais.

— Avec les beignes, on sait !

J'en ai pris un au chocolat, décoré de paillettes en sucre multicolores.

Pete ne s'est pas servi. N'a pas non plus touché à son café.

— Laisse-toi tenter, ai-je lancé joyeusement. Tu aurais dû en prendre plus au chocolat.

— Ils sont tous pour toi.

— Quoi, pas de fleurs ?

Vieille blague entre nous. Qui n'a pas déridé mon ex. Tant pis.

J'attendais qu'il m'expose la raison de sa présence quand une explication m'a traversé l'esprit.

— Un problème avec le divorce ? J'ai mal rempli les papiers ?

— Tout est en ordre.

— Tu les as déposés ?

— Je vais le faire.

— Le mariage est toujours d'actualité ?

Jesus, Brennan, quelle idée de mettre le sujet sur le tapis !

— Il y a quelques problèmes, mais rien que Summer ne soit en mesure de régler.

Summer ne serait pas fichue de remuer son yogourt sans mode d'emploi. Mais ça, je l'ai gardé pour moi.

Birdie a sauté sur la chaise à côté de Pete, qui lui a caressé le dos. L'air absent, les yeux fixés sur sa main. Peur d'aborder un sujet difficile ?

Mon ventre s'est serré.

— Est-ce que tu me caches quelque chose, par hasard ? Pas à propos de Katy, j'espère ?

— Accessoirement.

Les joues en feu, j'ai insisté.

— Mais tu viens de dire que…

— Elle va bien.

— Tu lui as parlé aujourd'hui ?

— Non.

— Donc, t'as aucune idée comment elle va ! (Ton sec.)

Pete a continué à caresser le chat. À suivre le va-et-vient de sa main sur la fourrure.

— Excuse-moi. Je ne voulais pas t'engueuler.

Pete s'est calé contre le dossier de son fauteuil. A changé d'avis, s'est penché, les coudes sur la table.

— En fait, il y aurait un moyen qui te permettrait de la voir.

— On devait se parler sur Skype…

— En chair et en os, je veux dire.

— Quoi ? Elle vient en permission ? Déjà ? (Mon beigne s'est arrêté en l'air.) Oh mon Dieu. Elle n'est pas blessée, au moins ?

— Non.

— Hospitalisée ?

— Non. Mon Dieu, cesse d'imaginer le pire !

— Dis-moi la vérité !

— Je n'ai aucune raison de te mentir, et toutes celles de croire que notre fille est en parfaite santé et très contente de son sort. (Sur un ton plus que patient.)

J'ai scruté les traits de Pete. N'y ai vu qu'une incertitude monumentale. J'en suis restée toute ébahie de le voir incapable de dire un mot. Lui, l'avocat aux nerfs d'acier et à la langue si bien pendue !

— Qu'est-ce qui se passe, Pete ?

Il a pris sa tasse. Ne l'a pas portée à ses lèvres.

— Tu peux aller la voir.

— La voir ?

J'avais dû rater une bifurcation quelque part.

— Oui, à Bagram.

— En Afghanistan ?

— Exact.

Ça n'avait aucun sens.

— Je sais combien tu t'inquiètes, petite culotte en sucre, et je m'inquiète aussi. Surtout quand les jours passent sans apporter de nouvelles. Je ne le montre pas, bien sûr, viril comme je le suis et tout le reste.

Autre blague entre nous, qui est tombée à plat.

Il a poursuivi sur un ton différent. Très sérieux.

— Je ne cherche pas à te manipuler. Juste à te convaincre.

La persuasion, produit de choix des avocats.

— Me convaincre ? ai-je répété comme un perroquet, complètement perdue.

Pete a pris une profonde inspiration. Expiré lentement. Croisé les doigts.

— Très bien. Tu te souviens de mon ami, Hunter Gross ?

J'ai secoué la tête.

— Je t'en ai parlé mercredi au dîner.

Dans ce bar, avec une musique qui me cassait les oreilles.

— Ah oui, le marine… Et son neveu, qui est dans les marines aussi.

— C'est ça. John Gross. Hunter, je le connais depuis des années.

— Depuis le temps où tu étais dans le Corps des marines, toi aussi ?

Je n'ai jamais pu me rappeler les noms des amis que Pete s'est faits à cette époque.

— Hunter m'a rappelé. Vraiment très inquiet pour son neveu.

— Je t'écoute.

— Je t'ai dit, je crois, que John est à Camp Lejeune, où il attend son audience préliminaire selon les termes de l'article 32. Pour les tribunaux militaires, c'est l'équivalent du grand jury, le but étant d'établir s'il y a des éléments suffisants pour déférer l'accusé devant la cour martiale. John est accusé d'avoir tué des civils afghans il y a un an. Ce qu'il nie.

L'histoire me revenait.

— Qu'est-ce qu'il est censé avoir fait ?

— Selon l'acte d'accusation, il aurait tiré sur deux habitants désarmés au cours de la fouille de leur village.

— Et il dit quoi ?

— Que c'était le crépuscule, le chaos total. Ces hommes marchaient sur lui en criant : «Allah!» Quand l'un d'eux a fait un mouvement, John a cru qu'il allait sortir une arme à feu. Il affirme qu'il a tiré en état de légitime défense.

— Et il s'est avéré que ces hommes ne portaient pas d'armes.

— Exactement.

J'ai réfléchi un moment.

— Qu'est-ce qu'il avait dans les mains, Gross ? Un M16 ? Et des civils désarmés se seraient précipités sur lui au risque de leur vie ? Ça n'a aucun sens.

— Le feu de l'action, un djihad personnel ? Qui sait…

— C'est sûrement un peu plus compliqué que ça.

— Ce dont je suis sûr, c'est qu'en tant que sous-lieutenant et chef de peloton, John a certainement pris plus d'une fois des décisions difficiles qui ont pu déboucher sur de graves conséquences.

Pete a fait une pause, se rappelant peut-être des choix auxquels il avait lui-même été confronté pendant son service militaire.

— L'une de ces décisions concerne un caporal du nom de Grant Eggers. John a été contraint de le rétrograder de son poste de chef d'équipe. Furieux, Eggers n'a plus cessé de le critiquer par la suite, mais sans jamais l'affronter directement.

— Et c'est cet Eggers qui porte l'accusation aujourd'hui ? ai-je demandé en saisissant un beigne recouvert de sucre en poudre.

— Oui. Il soutient que les hommes ne couraient pas du tout vers John, mais s'enfuyaient, et qu'en réalité John leur a tiré dans le dos.

— *Jesus*.

— Ouais, c'est complètement fou. Hunter est convaincu que son neveu sert de bouc émissaire.

— Comment ça ?

— Les gens de là-bas n'ont pas exactement une passion pour l'oncle Sam. Pour eux, il s'agit de deux civils non armés, assassinés par un marine américain. Ils crient vengeance.

— La politique…

Pete a haussé les épaules. Comment savoir ?

— Une solution toute trouvée.

Il a tendu le bras et passé le pouce sur ma lèvre supérieure. D'une tape, j'ai écarté sa main.

— Tu avais une moustache en sucre.

— Le médecin légiste a examiné les points d'entrée et de sortie des balles ?

— Cela n'a pas été possible.

— Pourquoi ?

— Les victimes ont été ensevelies dans un cimetière musulman. Le NCIS, le service d'enquêtes criminelles de l'armée, a réclamé à maintes reprises le droit d'y pénétrer. Jusqu'à tout récemment, les autorités afghanes refusaient de délivrer l'autorisation d'exhumer les corps. Après bien des manœuvres diplomatiques, elles ont revu leur position.

Subitement, j'ai deviné où Pete voulait en venir.

— Elles consentent donc à ce qu'une autopsie ait lieu ?

— Oui, mais rien ne garantit qu'elles ne vont pas encore changer d'avis. Il faut donc les prendre de vitesse. C'est dans l'attente des résultats de cette autopsie que l'audience préliminaire a été reportée.

— Je vois.

— À ton avis, est-ce que les corps seront bien conservés ?

— Ça dépend du traitement qui leur aura été administré *post mortem*.

— D'après l'informateur de Hunter, ils auraient été simplement lavés, enveloppés dans des linges et enterrés. Déposés à même le sol sur le côté droit, la tête tournée vers La Mecque.

— Un an sous terre sans cercueil. Je suppose que la décomposition sera bien avancée, si la squelettisation n'est pas déjà totalement achevée.

— Les experts américains ne feront que jeter un coup d'œil à ces corps. Et John risque de se faire avoir si le personnel de la base n'est pas de premier plan.

— Déterminer la trajectoire d'une balle, ce n'est pas sorcier, tu sais.

— Toi, tu fais ça les doigts dans le nez, mais eux ? D'après Hunter, c'est justement le point qui permettra de disculper John. La défense a réclamé le droit de récuser l'expert nommé pour exhumer et examiner les corps. L'accusation a proposé à la défense d'avancer elle-même le nom d'une personne acceptable par les deux parties.

— Tu veux que j'aille en Afghanistan ? ! me suis-je exclamée avec l'enthousiasme que je réserve aux boutons et aux orgelets.

— Oui. Avec un CV comme le tien et tous les témoignages que tu as pu faire devant la justice, tu ne peux que satisfaire l'accusation aussi bien que la défense. Et la défense suivra la recommandation de Hunter.

Pete s'est laissé retomber sur son dossier, le regard rivé au mien. Il avait présenté son affaire. Il attendait mon verdict.

J'ai pris une profonde inspiration.

— Comprends-moi bien, Pete. J'ai la plus grande compassion pour John et sa famille, mais les médecins militaires ont une grande expérience — bien trop grande, d'ailleurs — des lésions traumatiques. Les blessures par balles, n'importe quel médecin qui a servi en Afghanistan en a vu des centaines.

— Des blessures récentes. Or, tu l'as dit toi-même, de ces deux victimes il ne restera probablement que les os. Et les os, c'est ta spécialité. Tu es la meilleure dans ce domaine. En plus, le procès doit se tenir en Caroline du Nord.

— J'ai des engagements. Je ne peux pas m'envoler à l'autre bout du monde…

— Tu le fais tout le temps.

— Pas du tout.

— Et le JPAC ?

Pete faisait allusion aux travaux que j'avais effectués en tant que consultante civile pour le Groupe de recherches intensives sur les soldats prisonniers de guerre ou morts au combat, auprès du Laboratoire central d'identification de l'armée, à Honolulu.

— Ce n'est pas la même chose. Il s'agit de missions programmées.

— Autre raison pour laquelle il faut que ce soit toi qui pratiques l'autopsie. Tu sais y faire avec les militaires. Compte tenu de tes liens avec le labo de l'armée, l'accusation acceptera sans problème de te voir nommée experte médico-légale dans ce procès.

— Pete…

Il a pris mes deux mains dans les siennes.

— S'il te plaît… Je te demande ça comme un service personnel. Supervise l'exhumation. Effectue les analyses.

— C'est ridicule. Je suis une civile. Rien que d'obtenir les passes, autorisations et permis de toutes sortes, ce sera un cauchemar.

— Tu les as déjà.

— Ah bon ?

— Tu as le feu vert du ministère de la Défense, du Pentagone et de la Maison-Blanche.

— Tu plaisantes ?

Pete a fait le signe de la croix, comme les enfants quand ils jurent qu'ils disent la vérité.

— Déterrer des cadavres en terre étrangère, ce n'est pas une sinécure. Surtout quand il s'agit de recueillir des preuves dans une enquête concernant un soldat américain.

— Pas question. J'ai dans ma chambre froide une adolescente inconnue dont tout le monde se fout. Si je ne suis pas là pour faire avancer son cas, qui s'en chargera ?

— Et il avance comment ? a demandé Pete sur un ton presque sarcastique.

— Ça avance.

(Coincée. Mais quelle idée aussi de parler de ça !)

— À toi de décider, bien sûr. Tu peux rester ici, à pousser les gens dans le dos, ou aller en Afghanistan aider un Américain qui est peut-être en train de se faire baiser. Un Américain qui a risqué sa vie pour servir son pays.

Pete a fait durer sa pause. Histoire de me laisser contempler les avantages implicites qu'un tel voyage allait représenter pour moi. Katy.

— Tu peux rester ici, Bouton d'or. Mais pose-toi la question. En faisant ce choix-là, aides-tu vraiment ton inconnue ?

Là, Pete marquait un point, même si cela m'énervait de l'admettre. Slidell n'avait effectivement pas du tout besoin de moi pour rechercher le chauffard en fuite. Il n'y mettrait peut-être pas autant de zèle que si j'étais là à le harceler, mais il le ferait malgré tout. Luther Dew ?

Celui-là, aucun harcèlement requis. Quant aux analyses d'ADN ? Ma présence en ville n'était pas nécessaire, puisque je resterais joignable par courriel.

— John Gross souhaite quelqu'un d'impartial et de compétent, une personne en qui il puisse avoir toute confiance. Il lui faut la meilleure.

— Et si je découvre que ces hommes ont effectivement été abattus dans le dos ?

— Dans ce cas-là, j'aurai honoré ma promesse vis-à-vis d'un ami, et toi, tu auras permis à la vérité d'éclater au grand jour, quelle que soit cette vérité.

En bon avocat, Pete avait gardé l'argument massue pour la fin.

— L'incident a eu lieu dans un village appelé Sheyn Bagh. C'est là que tu devrais superviser le déroulement de l'exhumation. Quant aux analyses, elles seront effectuées à Bagram.

La base où Katy était stationnée. Mais cela, il n'avait pas besoin de me le préciser.

— Je vais y réfléchir.

Dieu du ciel ! Avais-je vraiment besoin d'un temps de réflexion ? !

Pete m'a tendu la boîte de beignes. J'ai secoué la tête. Il en a posé un dans son assiette, puis il a pris nos deux tasses et disparu dans la cuisine.

Sur le buffet, l'horloge de grand-mère jouait les métronomes en toute sérénité. Birdie ronflait doucement, roulé en boule sur sa chaise. Dehors, un merle moqueur a lancé sa trille du samedi matin.

Revenu dans la salle à manger, Pete a déposé un café devant moi. S'est assis. A fini par demander :

— Tu as suffisamment réfléchi ?

— Non. (Ce qui était faux.)

— Tu vas y aller, n'est-ce pas ?

— Quand ?

Il a extirpé une enveloppe de la poche arrière de son jeans et en a extrait deux documents qu'il a déposés sur la table.

Un ordre de mission.

Un billet d'avion réservé sur Internet. Charlotte-Douglas–Dulles International. Dulles–Istanbul. Sur Turkish Airlines.

Départ le lendemain.

Chapitre 17

Entre les courses, les valises, l'organisation de dernière minute, le reste de la journée a été un cauchemar. Même chose le dimanche matin.

Il fallait prévenir Larabee. Slidell. Dew. Et aussi LaManche à Montréal.

Katy.

Ryan. Je suis tombée sur sa boîte vocale. Comme par hasard. J'ai laissé un message : « Je pars pour l'Afghanistan. » J'ai espéré que ça le ferait réfléchir.

Pour éviter les questions de Harry, je lui ai envoyé un courriel. Succinct.

J'ai demandé à un voisin de prendre mon courrier et les journaux, déposé Birdie chez Pete et acheté des chaussettes. Puis je suis passée à la pharmacie faire provision de médicaments.

Vous voyez le tableau.

Tout caser dans ma valise a relevé du défi. D'après la chaîne météo, il pourrait aussi bien faire chaud que froid. Génial. Je me suis organisée en fonction du froid, me disant que je pourrais toujours retirer une couche de vêtements.

En plus des jeans, tee-shirts et autres chandails, j'ai pris avec moi ma tenue de travail : pantalon de treillis kaki, saharienne kaki, casquette kaki, bottes de randonnée, gants. D'un sexy achevé ! Quant à l'équipement spécialisé, on pourrait certainement me le fournir sur place.

Dimanche matin, téléchargement de plusieurs fichiers sur mon MacBook Air. Un formulaire pour les transferts de données. Un autre pour les dossiers d'anthropologie judiciaire. La dernière version de Fordisc 3.0, un programme d'analyse métrique de restes inconnus. Un bon nombre de manuels d'ostéologie en ligne. Autant de choses qui me seraient probablement inutiles, mais je tenais à parer à toute éventualité.

Enfin, la copie d'un article que je préparais pour le *Journal of Forensic Sciences*. Peu probable que j'en écrive une ligne pendant ce voyage, mais bon, pourquoi pas ?

Le taxi est arrivé devant ma porte à quatre heures. Une demi-heure plus tard, j'étais à Charlotte-Douglas. À cinq heures, j'avais passé la sécurité.

Miracle de l'aviation, le vol était à l'heure. Trois heures après avoir quitté l'Annexe, je débarquais à Dulles.

Ayant repéré la porte d'embarquement de mon vol suivant sur Turkish Airlines, je me suis installée dans le salon Virgin Atlantic pour une attente de trois heures.

Une fois encore, les dieux étaient avec moi. À dix heures vingt, une voix annonçait que nous embarquerions à l'heure.

Pas si mal, finalement, les voyages intercontinentaux. C'est dans cet état d'esprit que j'ai suivi le troupeau de voyageurs de la classe affaires, trouvé ma place, rangé mes sacs et bouclé ma ceinture.

Je ne dors pas bien en avion. Les dix heures suivantes, j'ai lu, mangé un repas plutôt bon, essayé de regarder un ou deux films. Puis, j'ai incliné mon siège et me suis blottie sous la couverture, les bouchons dans les oreilles et le masque sur les yeux. Hélas, impossible, malgré toutes mes tentatives, de trouver une position qui permette à chacun de mes membres de bénéficier d'un minimum d'irrigation sanguine. J'ai fini par redresser mon dossier et rallumer la lumière pour lire un peu. Et puis non. J'ai rabaissé mon dossier et composé un numéro sur mon téléphone. Seuls des parasites m'ont répondu. J'ai regardé un autre film.

Et pendant ce temps-là, tournant sans relâche dans ma tête, la hantise d'avoir abandonné mon inconnue.

J'ai débarqué à Istanbul avec l'impression d'avoir parcouru ces neuf mille kilomètres à la rame.

La salle de transit Turkish Airlines était sublime. Blanc et or, avec différents bars séparés par des arcades, des sièges disposés en petits groupes et des présentoirs d'amuse-gueules. Fauteuils et canapés auraient paru luxueux dans n'importe quel palace de Los Angeles. WiFi gratuit. Pianiste. Et même un masseur. Bref, un endroit où j'aurais pu vivre.

Après avoir picoré quelques bouchées, j'ai lu mes courriels.

Katy et Ryan toujours hors d'atteinte.

Impossible d'en dire autant de Harry, qui frisait la crise de panique.

Vingt-quatre heures s'étaient écoulées depuis mon départ de Charlotte et je n'avais quasiment pas fermé l'œil. Je n'étais pas en état de discourir avec ma sœurette. Je lui ai donc envoyé un message aussi vague que le premier. Suis entre deux aéroports. T'appelle dès que possible.

Vol suivant à bord d'un 737 dont l'intérieur ignorait l'existence de la rénovation. Siège au premier rang, devant la cloison. Autrement dit : un mur devant le nez, mais trois centimètres de plus pour les jambes.

Trajet turbulent et café turc qui goûtait le goudron.

Cinq heures après le décollage, le pilote s'est posé à Manas, l'aéroport international de Bichkek, au Kirghizstan. C'est de ce centre de transit des forces US et de la coalition que s'envolent les avions pour l'Afghanistan.

Calcul de l'heure locale pendant que nous roulions sur la piste dans un noir d'encre. D'après ma montre, il était 21 h sur la côte Est, et là-bas c'était lundi. Nous étions donc mardi matin, ici au Kirghizstan. Mes neurones privés de sommeil n'ont pas réussi à faire mieux.

Un sergent-chef du nom de Grace Mensforth m'attendait au terminal. Corpulence moyenne, cheveux bruns, traits des plus banals. Le genre de personne que les témoins sont incapables de décrire.

Elle s'est présentée comme mon agent de liaison auprès de l'Air Force puis, devant mon air déphasé, m'a expliqué que, si l'aéroport dépendait du Kirghizstan pour ce qui avait trait à l'exploitation, le centre de transit était sous contrôle de la US Air Force. D'où sa présence.

— Vous avez fait bon voyage ?

— Rien à signaler.

— C'est ce qu'on peut espérer de mieux, n'est-ce pas ?

Et d'ajouter, avec un ample geste du bras gauche :

— Les bagages sont par là.

Avec son sol en ciment, le terminal avait tout d'un sous-sol d'usine à l'époque stalinienne. Çà et là, des hommes-enfants en chapeaux pointus de trois mètres de haut et manteau de laine leur battant les mollets, une arme automatique en travers de la poitrine.

Mon sac de sport fauve était perdu dans une marée de bagages en cuir ou toile camouflage abandonnés par terre. Je l'ai dégagé du tas.

— Donnez-moi votre passeport, je vais m'occuper du visa. Les formalités sont hallucinantes, ici.

J'ai remercié.

La zone bagages s'est vidée lentement. Plantée au milieu de la salle, je sentais le froid s'insinuer dans mes Nike, ma veste, mon jeans, et la fatigue s'écraser sur mes épaules comme un camion rempli de boue.

Enfin, Mensforth est revenue et m'a remis mon passeport.

— C'est votre premier voyage en République islamique d'Afghanistan ?

— Oui, et aussi au Kirghizstan.

— En République kirghize. Passons la douane. Par ici.

Nouveau geste du bras pour indiquer la direction. À se demander si elle n'avait pas été maître d'hôtel dans une vie antérieure.

Heureusement, la file d'attente était courte. Pendant que nous avancions, d'un seul pas à chaque fois, Mensforth a tenté de démarrer une conversation.

— *Kirghize* veut dire « quarante ». Quarante tribus.

Moi, sur un ton apathique :

— Ah bon ?

Une embardée vers l'avant.

Mensforth a dû interpréter ma réponse comme une distance vis-à-vis d'elle ou un manque d'intérêt, car, à partir de ce moment, nous avons patienté en silence.

Quinze minutes plus tard, je suivais mon agent de liaison à travers un tarmac noir comme de l'encre. L'air était glacial, le vent humide et pénétrant.

Tête baissée, Mensforth s'est dirigée vers une camion-nette blanche de l'armée de l'air. Elle a fait coulisser la portière arrière. J'ai grimpé à l'intérieur. Un enfant en uni-forme s'est chargé de mon sac et s'est installé au volant.

Une route absolument déserte. Au bout d'un moment, de petites lumières au loin, mais pas un seul autre véhi-cule en vue.

J'avais un mal de tête à tout casser, le cœur au bord des lèvres. L'épuisement allait certainement l'emporter sur la faim.

Par bonheur, le trajet jusqu'à la base aérienne n'a pas duré longtemps. Cinq minutes, peut-être.

Arrêt à un point de contrôle pour présenter nos papiers, y compris mon passeport et mon ordre de mis-sion. De l'autre côté de ma vitre, un mur de toile recou-vert de grillage.

— C'est un Hesco ? ai-je demandé, curieuse malgré ma fatigue.

— Oui, madame, a répondu Mensforth.

J'avais lu des choses sur ce que l'on appelle des gabions. Ce sont des barrières constituées de cages en treillis métallique remplies de sacs de sable et de pierres, puis empilées l'une sur l'autre. Le barrage ainsi obtenu est à la fois souple et résistant. Pour le déplacer, il suffit de vider les sacs.

Pour quelle raison mon cerveau me ressortait cette information, je ne saurais le dire.

Les papiers dûment examinés et restitués, nous avons franchi la barrière.

La camionnette a zigzagué entre des bâtisses rectangulaires en préfabriqué, d'énormes camps Quonset, une bâtisse qui pouvait être une petite mosquée et une structure longue et basse — probablement un bar. Enfin nous nous sommes arrêtés devant un bâtiment d'un étage d'environ trente mètres de long sur dix de large.

— La caserne des femmes.

Mensforth a sauté à terre et s'est dirigée vers un escalier en métal, à l'angle du bâtiment.

Je l'ai imitée. Le petit jeune suivait derrière, mon sac de voyage en bandoulière.

Escalade bruyante des marches et arrêt devant une porte métallique dont Mensforth m'a donné la clé.

— Vous êtes au 204. Prenez la couchette vide.

Le garçon a balancé mon sac dans la pièce et s'est dépêché de redescendre.

— Qui sait, vous aurez peut-être la chance d'avoir la chambre pour vous toute seule, m'a soufflé Mensforth à voix basse. Les latrines sont au bout du couloir. Je passerai vous prendre à zéro huit cents.

Le ciel était encore tout noir, mais le jour n'allait sûrement pas tarder à se lever. J'ai demandé l'heure qu'il était.

— Zéro quatre trente.

Alléluia !

La chambre, de deux mètres cinquante sur trois au mieux, comportait deux armoires et deux lits à une place. Coup de malchance : pas d'oreillers dans les taies.

Tout d'abord, j'ai filé aux latrines. Puis, de retour dans la chambre, j'ai enfilé un tee-shirt et une culotte propres, mis mon iPhone à charger, réglé l'alarme et me suis écroulée.

Un carillon de cloches d'églises.

Surprise, j'ai ouvert les yeux.

Mon cerveau avait des ratés.

Ah oui, Bichkek.

J'ai attrapé le téléphone et coupé les cloches. L'écran affichait 07:45.

Frissonnant, j'ai passé mon treillis et mes bottes, et me suis traînée dans le couloir, armée de ma trousse de toilette.

Petit coup sur les dents et les cheveux. Pas avec la même brosse.

À 08:00, j'ouvrais la porte donnant sur l'extérieur.

Très bas, dans un ciel bleu limpide, la boule blanche du soleil. Du givre partout, comme si l'herbe avait été saupoudrée de sucre.

Mensforth attendait au pied de l'escalier, un manteau de duvet brun en travers du bras.

— Bonjour.

Un cône de vapeur s'est échappé de sa bouche.

— Bonjour. C'est pour moi ?

— Oui, m'dame.

J'ai ramassé mes affaires, sac de voyage et sac à dos, et j'ai descendu l'escalier à grand bruit.

— Tenez, prenez-le, a dit Mensforth en me tendant le manteau.

— Vous pensez qu'il va faire très froid ?

— Mieux vaut l'avoir et ne pas en avoir besoin qu'en avoir besoin et ne pas l'avoir.

— Je croirais entendre ma mère.

— La vôtre aussi disait ça ?

Nous avons échangé un sourire. J'ai enfilé le manteau.

— Merci.

— Vous remercierez l'oncle Sam. Vous avez faim ?

— Et comment !

— Allons au DFAC.

Traduction : le mess.

Un enfant en uniforme, pas le même que la veille, conduisait la camionnette. Plus maigre qu'un épouvantail, et les cheveux en brosse.

Pendant le trajet, Mensforth m'a renseignée sur la suite de mon voyage.

— Votre vol vers le théâtre des opérations est à midi, ce qui signifie bouclage ici à zéro neuf cents. On vous remettra un GPBI à l'aérodrome.

Un gilet pare-balles intercepteur. J'avais hâte de voir ça.

Le chauffeur a décrit deux ou trois virages et s'est arrêté près d'un bâtiment qui aurait pu être un hangar d'avion.

Nous avons dû montrer patte blanche, Mensforth et moi, pour entrer au mess. Après nous être lavé les mains dans un lavabo pourvu d'une vingtaine de robinets, nous sommes entrées dans la salle principale. Des odeurs de cuisine planaient dans l'air. Saucisses. Maïs en boîte. Tortillas. Bacon.

Des centaines d'hommes et de femmes, soldats en tenue de camouflage et employés en civil, faisaient la queue le long de buffets avec des plateaux sur lesquels ils entassaient des plats chauds ou froids, des salades, des sandwiches, des hamburgers et toutes sortes de produits laitiers, avant d'aller s'asseoir à des tables disposées en rangées.

Mensforth a donné quelques instructions que je n'ai pas saisies et m'a abandonnée à moi-même. Je me suis dirigée vers un comptoir qui semblait attirer beaucoup de monde.

Mon instinct ne m'avait pas trompée. Les bacs métalliques offraient une nourriture standard version Midwest : œufs, bacon, toasts et pommes de terre rissolées. J'ai rempli mon assiette, ajouté jus de fruit et café sur mon plateau, puis trouvé une place vide à une table près d'un distributeur de boissons gazeuses.

De l'autre côté de l'allée, un homme dans un uniforme que je n'ai pas su identifier. Français ? Polonais ? À côté de lui, une jeune de vingt ans avec une arme qui devait faire la moitié de son poids.

Le bruit des plateaux qui s'entrechoquaient, des couverts qui heurtaient les assiettes, le bourdonnement des conversations rivalisaient avec le match de football qui passait sur les télés murales. Çà et là, un rire saccadé dominait le vacarme.

Mensforth m'a rejointe, et nous avons mangé en silence. Elle s'était servi une sorte de burrito recouvert d'un truc qui ressemblait à du fromage. Le petit-déjeuner terminé, nous avons rapporté nos plateaux et pris le chemin du terrain d'aviation.

Le rassemblement des passagers au départ a eu lieu dans un autre hangar où des télés diffusaient aussi du football.

Les soldats s'entassaient sur des bancs, certains le téléphone vissé à l'oreille, d'autres concentrés sur un jeu électronique, d'autres encore gardant les yeux fermés ou suivant le match d'un air hébété. À se demander si le sport n'était pas le nouvel opium du peuple.

D'autres piquaient du nez sur leur barda ou dormaient, appuyés contre un mur. Homme ou femme, ils avaient tous l'air épuisé et sur le qui-vive.

Mensforth m'a conduite dans une salle adjacente où les étagères et les casiers débordaient de gilets pare-balles.

Comme leur nom l'indique, les équipements de protection individuelle sont conçus pour protéger la personne. Ce qui ne veut pas dire qu'ils conviennent à la vôtre. Surtout si vous avez le malheur d'appartenir au sexe doté de deux chromosomes X.

Le gilet pare-balles intercepteur existe en quatre versions de camouflage : vert forêt, désert, universel et brun coyote, dénommé kaki chez les marines. Mensforth m'en a tendu un, universel, de taille petite. J'ai ôté mon manteau brun pour enfiler cette splendeur gris-vert. Pas si mal.

Elle a ensuite ajouté sur le devant, le dos et les côtés des plaques dures supplémentaires, dites « balistiques », en céramique, prévues pour arrêter les munitions d'armes de poing, et m'a remis un casque. L'ensemble devait dépasser les vingt kilos. Dans cet attirail, j'étais comme un barrage Hesco monté sur pattes.

Et l'attente a commencé.

De temps à autre, je m'assoupissais. Dans l'intervalle, je regardais sans les voir les matchs qui se succédaient sur les écrans.

Le Wisconsin a perdu par un botté face au Minnesota. Les Écureuils et les Blaireaux ? Vraiment ?

L'Oklahoma a écrasé les Grenouilles à cornes de la TCU.

D'accord. Peut-être que les petits mammifères à fourrure ne faisaient pas de si mauvais totems.

Odeurs de sueur, de moisissure et de tissu poussiéreux, relents de peur et d'épuisement. L'air devenait de plus en plus lourd dans la salle.

À un moment, les gens autour de moi ont commencé à ramasser leurs affaires. Mensforth est réapparue pour me dire de rester où j'étais. Ce n'était pas mon vol. Le mien était retardé.

Enfin, peu après quatre heures, elle m'a fait monter dans un bus bourré de marines. Quinze minutes plus tard, nous étions sur le tarmac à côté d'un avion qui avait l'air conçu pour transporter les navettes spatiales jusqu'à la NASA.

— Vous allez être impressionnée, a crié Mensforth pour se faire entendre au-dessus du vacarme des moteurs. Un C-130J peut transporter trois véhicules ou une centaine de soldats.

J'ai glissé un œil à l'intérieur de l'appareil. La carlingue devait bien mesurer douze mètres de long sur presque trois de large et trois de hauteur.

Pas exactement la classe affaires. Mais mieux valait garder mes réflexions pour moi.

Pendant que j'attendais en compagnie d'un bon millier de marines, l'équipage a chargé le fret au départ sur des palettes à roulettes, puis a remis en place le plancher avant de faire monter les passagers.

— Des têtes d'ogive, a déclaré Mensforth en désignant les caisses. Avis aux intéressés !

— Combien d'heures de vol jusqu'à Bagram ?

— À peu près deux heures. Peut-être trois.

— Tant mieux ! (J'allais pouvoir dormir.)

Au signal d'un jeune en tenue de camouflage, la tête entourée d'un chiffon, Mensforth m'a fait sortir de la file et fait monter dans l'avion. Les marines m'ont suivie des yeux dans un silence hostile, épuisé ou bienveillant, selon les cas.

Les sièges consistaient en de longs bancs face à face, au dossier matérialisé par un treillis en cordage de nylon rouge.

Des parachutes et d'autres pièces d'équipement étaient accrochés aux parois du fuselage, le long duquel serpentaient également des tuyaux, des tubes, des câbles et quantité d'autres choses que j'étais bien en peine d'identifier.

— Le cul au mur, vous gelez ; le cul au centre, vous ne sentez plus vos jambes, a dit Mensforth.

La seconde solution m'a paru plus attrayante.

— Vous pouvez retirer votre blindage.

Je ne me le suis pas fait dire deux fois, ravie de me libérer de cet abominable carcan qui pesait une tonne.

Mensforth l'a balancé par terre au bout du banc, puis m'a montré comment ranger mon casque à mes pieds et mon sac sur mes genoux. Ensuite, elle m'a tendu un sachet contenant deux bouchons d'oreilles orange.

— À Bagram, vous serez accueillie par le capitaine Welsted.

Je l'ai remerciée en me demandant fugitivement si elle était au courant de la raison de mon voyage. Puis Mensforth a dit quelque chose d'étrange :

— Surveillez vos arrières.

— J'ai mon GPBI. (En tapotant mon casque.)

— Ça, ça n'arrête que les balles. (Puis, après un coup d'œil à droite et à gauche :) Soyez prudente.

Je n'ai pas eu le temps de lui demander ce qu'elle entendait par là. Sur un dernier « Bon séjour », elle avait disparu.

L'avion s'est rempli rapidement. Un marine de la taille d'un bloqueur a pris le « siège » à ma gauche. Un Noir tout jeune avec des dents d'un blanc éclatant s'est laissé tomber à ma droite. Le type en face devait bien mesurer deux mètres dix. Mes genoux le frottaient à mi-tibia.

Après un ultime échange de cris, l'équipage a refermé la trappe.

Regard autour de moi. Mes compagnons de voyage ? Des hommes pour la plupart, âgés d'une vingtaine d'années.

Des «*fuck*» par-ci et des «*fuck*» par-là. Pure fanfaronnade. Nous partions pour le théâtre des opérations. À l'époque de Pete, on disait «pour le front». Même chose, même appréhension : nous partions à la guerre.

Un gars à trois places de moi sur la rangée d'en face me regardait fixement. Un Asiatique. Dix-huit ans tout au plus.

Je lui ai souri. Il a détourné les yeux.

Les moteurs ont commencé à rugir. J'ai mis mes bouchons d'oreilles.

Le disgracieux appareil est monté lourdement à l'assaut du ciel. A fini par reprendre la position horizontale.

J'ai fermé les yeux. Essayé de dormir.

Montées vertigineuses, descentes en piqué, le tout dans le bruit de tonnerre des moteurs. Un air glacial me soufflait dans le dos. Malgré le coude à coude et tibia contre tibia avec mes voisins, j'étais frigorifiée. Bientôt, je n'ai plus rêvé que de m'étirer ou de trouver une meilleure position. Hélas, aucune chance d'y parvenir.

Du temps a passé.

Mon cerveau s'était installé sur la frontière mouvante entre veille et sommeil quand, soudain, mon corps a basculé selon un angle qui n'avait rien de naturel.

À côté de moi, le bloqueur s'est crispé.

Décharge subite d'adrénaline. Mes yeux se sont ouverts.

Tout autour, une obscurité de tombeau.

Et l'avion qui plongeait vers la terre.

Chapitre 18

Le noir total tout autour de moi.

Les flancs pris dans un étau : le gauche aplati contre le bloqueur, le droit écrasé par le Noir aux dents éclatantes renversé sur moi. À quoi bon lutter contre la gravité ? Je n'ai donc fait aucun effort pour me redresser.

Puis le hurlement des moteurs a diminué. Notre sandwich de trois personnes s'est quelque peu décompressé.

Le train d'atterrissage a durement heurté le sol. A tapé de nouveau, moins fort. Et une troisième fois.

Mon cœur a recouvré son rythme habituel. Nous roulions sur la terre ferme.

Après un court trajet sur la piste et une sorte de hoquet, l'avion s'est arrêté. Les lumières se sont rallumées, la trappe s'est ouverte et l'air extérieur s'est engouffré dans le fuselage, apportant avec lui une odeur de carburant et de gaz d'échappement.

Nous avons attendu que les palettes de marchandises soient déchargées pour récupérer nos affaires et circuler vers l'arrière, une rangée après l'autre, pour sauter sur le tarmac.

Impatiente d'obtenir un avant-goût de cette terre étrange dont j'avais tellement entendu parler, j'ai effectué un tour complet sur moi-même.

Au-dessus de ma tête, un dôme noir infini et un univers d'étoiles scintillantes. Ici-bas, les ténèbres et rien d'autre.

Nous avons attendu l'ouverture des soutes. Ayant récupéré mon équipement mais ne sachant que faire, j'ai emboîté le pas aux marines. Direction : un cube noir à l'horizon.

Lequel s'est cristallisé en un bâtiment d'un étage.

Devant la porte, un homme et une femme, le premier en civil, la seconde en tenue de camouflage, uniforme et casquette octogonale.

La femme avait à peu près mon âge. Grande et solide, pas maquillée, mais séduisante sur le mode nature. Elle portait ses cheveux noirs ramassés en queue de cheval sous sa casquette.

Comme Katy.

Arrête ! Reste concentrée.

C'est elle qui a pris les devants.

— Docteur Brennan ?

Comme s'il y avait beaucoup de femmes dans la quarantaine, en civil, dans cet avion militaire à destination de Bagram !

Je me suis contentée de hocher la tête, la question ne méritant pas plus.

— Maida Welsted. Base des opérations.

Elle a tendu la main, et son geste a fait luire la double barrette d'argent sur son uniforme.

— Capitaine…

Échange de poignée de main.

L'homme à ses côtés s'est quelque peu dandiné. Traduisant ainsi son impatience ? Sa gêne ? Welsted l'a purement ignoré.

— C'est moi qui m'occuperai des opérations sur le terrain concernant l'exhumation de Sheyn Bagh. L'équipe, les véhicules, l'armement, le transport aérien. (Elle avait un léger accent. Anglais, indien, espagnol ?) Vous avez besoin de quelque chose, vous passez par moi.

— Le Dr Brennan a fait un long voyage…, est intervenu le civil.

Un type de haute taille, la trentaine, avec une casquette de sport bleue. Pour dissimuler un début de calvitie ?

Welsted lui a jeté un regard que je n'ai pas su déchiffrer dans la faible lumière émanant de la porte, mais l'homme a paru se raidir.

— Ce que je veux dire, c'est qu'on pourrait lui exposer tout ça demain matin. Elle vient de passer quatre heures en avion. Elle veut probablement juste manger et se coucher.

Sa main s'est tendue vers moi.

— Scott Blanton, NCIS.

Le service d'enquêtes criminelles de l'armée.

Poignée de main ferme, mais rien à voir avec celle de Maida Welsted.

Celle-ci a pivoté sur les talons sans ajouter un mot, et s'est dirigée vers deux hommes à la barbe et aux cheveux hirsutes qui se trouvaient derrière nous. Le plus jeune portait un jeans et un coupe-vent arborant le logo des White Sox ; le plus vieux, un ample pantalon de lin et un gros pull, sur une tunique qui lui battait les genoux.

— Le capitaine Welsted est parfois un peu rigide, a repris Blanton, et son sourire a révélé une incisive supérieure qui chevauchait l'autre. Les Texans, qu'est-ce que vous voulez…

Ne sachant que répondre, j'ai gardé le silence.

Derrière Blanton, les hommes écoutaient Welsted avec force hochements de tête. Moins d'une minute plus tard, elle nous a rejoints.

— On va vous emmener à votre B-hut, le baraquement.

Sur ce, elle s'est éloignée.

Blanton a haussé les épaules et s'est emparé de mon sac malgré mes protestations.

Le chauffeur de la camionnette était la copie conforme des deux hommes de Manas. Court trajet et longue vérification au poste de contrôle, avant de déboucher sur une base en tous points semblable à celle que j'avais laissée derrière moi au Kirghizstan.

À une différence près, une grande : pas de chambre particulière, un dortoir. Et pas de toilettes au bout du couloir.

Mes quartiers consistaient en une moitié de B-hut, c'est-à-dire une boîte en contreplaqué perdue dans un dédale d'autres boîtes identiques, amalgamées sur un terrain recouvert de cailloux gros comme des kiwis.

À l'intérieur, deux lits superposés, deux vieilles tables de nuit côte à côte, une armoire en bois remplie de cartons de bouteilles d'eau encore sous emballage et une table avec des magazines poussiéreux et de vieux numéros de *Stars and Stripe*s, le journal officiel des forces armées des États-Unis. Plus, ô miracle, un PC d'au moins vingt ans d'âge. Le tout dans un espace de deux mètres cinquante sur trois à tout casser.

Ça, c'était le bon côté des choses.

Le mauvais ? Les sanitaires. Qui se trouvaient à un terrain de football de là, au terme d'un parcours prévu pour se tordre la cheville.

Welsted s'est retirée après m'avoir informée qu'une réunion avec le chef des opérations de la base était prévue à zéro neuf cents.

— Vous voulez grignoter quelque chose ? s'est enquis Blanton.

J'étais crevée, mais, d'un autre côté, je n'avais rien avalé depuis le petit-déjeuner.

— Volontiers !

En marchant, j'ai parlé de Katy. Blanton m'a dit qu'il allait la rechercher.

Après un hamburger-frites mangé sur le pouce, retour à la chambre.

— Petit-déjeuner à zéro huit cents ?

— Je saurai retrouver mon chemin.

— En plein jour, c'est complètement différent.

— D'accord. J'accepte avec plaisir votre escorte.

Ce qui était l'exacte vérité.

— Ce serait bien que je puisse vous joindre, en cas de changement de programme.

Je lui ai donné mon numéro de téléphone et mon adresse courriel en doutant fortement qu'ils fonctionnent.

Après une virée express aux toilettes, j'ai réglé l'alarme, posé ma lampe de poche sur la table de nuit, et je me suis écroulée sur mon lit de camp.

Mes dernières pensées ont été les suivantes.

Non, tu ne te lèveras pas cette nuit pour aller faire pipi.

Bizarre, cette tension entre Welsted et Blanton.

Réveil au son d'un piétinement de bottes sur du contreplaqué. À gauche, de l'autre côté de la cloison, des voix d'hommes. Au-dessus de moi, le hurlement des avions.

Coup d'œil à ma montre.

6 h 50. Combien de temps avais-je dormi ? En tout cas, pas assez.

J'ai parcouru la pièce du regard en espérant l'avoir mal jugée la veille, dans la pénombre.

Malheureusement pas.

Des murs nus, un sol en linoléum, çà et là une affiche de l'USO, l'association de soutien moral aux membres de l'armée américaine, ou une photo dont les coins rebiquaient. Pas de fenêtre. Une seule prise de courant par lit.

La B-hut dans toute sa splendeur. Facile à monter, facile à démonter. Espérance de vie entre trois et quatre ans.

Je me suis habillée. Munie de mes affaires de toilette et de ma lampe de poche, je suis partie pour une randonnée de cent mètres.

Premier aperçu de Bagram : un panorama à couper le souffle.

Des montagnes tout autour de moi, immenses et souveraines, dont les sommets enneigés se découpaient sur un ciel qui appartenait encore à la nuit.

Tout en passant devant des lignes et des lignes de baraquements, je me suis souvenue des descriptions de Katy dans ses courriels : pas le Hilton, mais mieux que des tentes. Son principal problème, c'était les insectes.

Ici, pas question de laisser traîner une barre au chocolat entamée ou une cannette de Coke à moitié vide. J'ai souri à l'idée que ma fille devait ranger son coin tous les jours.

Et je me suis surprise à essayer de la repérer au milieu de la foule. Des jambes minces montant des marches. Une tête blonde disparaissant dans une cabine.

Et si je tombais sur elle dans le vestiaire ? Au mess ? Au détour d'une rue ?

Sous la douche, je me suis amusée à me rappeler tout ce que je savais sur Bagram. Pas grand-chose, au bout du compte.

La base, construite par les États-Unis dans les années 1950 pour servir de terrain d'aviation, avait maintenant la taille d'une petite ville. Sa population, environ six mille militaires et vingt-quatre mille civils, comprenait des troupes alliées, des entrepreneurs internationaux et des journaliers afghans.

En plus des équipements présents dans toutes les bases, Bagram avait des cafés, des fast-foods, une tour datant de l'occupation russe et un bazar où les marchands locaux vendaient leurs produits. La rue principale, Disney Drive, n'avait pas été nommée ainsi en l'honneur de l'oncle Walt, mais d'un soldat tombé au front.

Cette base aérienne se trouvait à quelques kilomètres de l'ancienne ville de Bagram, sur la Route de la soie. Et à des années-lumière de cette époque reculée.

Revenue dans mes quartiers, rafraîchie et proprette, j'ai eu la joie de constater que le PC hors d'âge se connectait sans problème à Internet.

Comme j'avais vingt minutes à tuer, j'ai vérifié mes courriels. Rien d'aucun ami ou connaissance. J'ai expédié un mot à Larabee pour lui demander où en était l'affaire de l'inconnue tuée par le chauffard. Puis un autre à Slidell, sans espérer de réponse de sa part.

Blanton est arrivé à huit heures tapantes. Tout en avalant une quantité de glucides suffisante pour laisser une équipe de rugby sur le flanc, j'ai appris qu'il avait un baccalauréat en histoire, n'avait jamais été marié et avait travaillé brièvement dans la police avant d'intégrer le NCIS.

Il allait rentrer au pays dès que l'exhumation et l'analyse auraient été effectuées. À Gastonia, où il était né et avait passé son enfance.

Le monde est petit. Retrouver quasiment son voisin de palier à dix mille kilomètres de chez soi.

De son côté, Blanton a appris que j'avais une certification du Bureau américain d'anthropologie judiciaire et un chat.

Pourquoi ne pas lui en avoir dit davantage ? Peut-être à cause de la façon dont il me dévisageait, les yeux rivés sur moi, sans battre d'un cil ou presque. Ou bien à cause du ton supérieur qu'il prenait pour évoquer certains sujets. On me l'aurait demandé, je n'aurais pas su expliquer pourquoi, mais une voix intérieure m'incitait à la prudence.

Avais-je eu raison d'évoquer Katy, la veille, alors que j'avais l'esprit embrumé par la fatigue ? De toute façon, c'était trop tard.

Retour à ma B-hut pour tomber sur une Welsted appuyée contre le flanc d'une camionnette. Elle a jeté un coup d'œil à sa montre en nous apercevant.

— Bonjour, capitaine, ai-je lancé d'une voix claire.

— Bonjour. (Pas un sourire en retour, pas un regard à Blanton.) Vous êtes prête ?

— Et pressée de me mettre au travail.

Ça, c'était le troisième café du petit-déjeuner qui parlait.

Cinq minutes plus tard, nous arrivions à un bâtiment en tôle ondulée identifié par une plaque comme le siège des opérations de la base. Nous sommes montés à l'étage.

Au bruit de nos pas, un sergent de l'armée de l'air a jailli d'une porte et nous a conduits jusqu'à une salle de conférences dont le mobilier aurait été tout à fait à sa place dans un respectable cabinet d'avocats. Table en chêne blond, douzaine de chaises, tableau noir et buffet garni pour le café. Ne détonaient que les murs en béton.

Un homme s'y trouvait déjà, en train de se remplir une épaisse tasse en porcelaine blanche. Un marine. Du nom de Noonan, à en croire son badge. Un écusson en velcro stipulait qu'il appartenait au JAG, le Corps du juge-avocat général.

Blanton a pris place à la table, tandis que Welsted et moi nous avancions vers Noonan. À l'instar du représentant du NCIS, les cheveux de l'avocat de la marine étaient sur la bonne voie pour dire adieu à son cuir chevelu. Il avait le teint pâle, le nez et les joues qui pelaient.

— Ruff Noonan, du JAG. (Poignées de main à la ronde.) Je n'assisterai pas aux réjouissances sur le terrain. Je suis juste là pour la réunion.

Au bruit de la porte qui s'ouvrait, nous nous sommes retournés.

Une femme noire est entrée dans la salle. Poitrine généreuse et droite comme un I, pour faire oublier sa petite taille.

Elle a laissé tomber sur la table deux classeurs cartonnés puis nous a fait signe de nous asseoir.

— Tout d'abord, permettez-moi de me présenter à vous, docteur Brennan. Les autres me connaissent déjà. (Sourire éclair.) Gloria Fisher. C'est moi qui dirige les opérations lancées depuis la base de Bagram. Nous sommes là, mon personnel et moi-même, pour faciliter votre mission. Je crois savoir que votre voyage s'est déroulé sans problème.

— Oui.

— Et que vos quartiers vous conviennent ?

— Parfaitement, je vous remercie.

— Le capitaine Welsted s'occupe bien de vous ?

— Tout à fait. Tout le monde est aux petits soins pour moi.

— Vous avez rencontré le reste de votre équipe ?

J'ai hoché la tête, supposant qu'elle voulait parler de Blanton et Noonan.

— Bien.

Elle a croisé les doigts sur la table. Des ongles sans vernis, mais bien plus soignés que les miens.

— Comme vous le savez sans doute, il est extrêmement compliqué d'entreprendre une mission de ce type. Vraiment très délicat. L'exhumation d'un ressortissant afghan est un problème pour tout le monde : pour le département de la Défense, le département d'État, et même la Maison-Blanche.

Blanton me dévisageait sans vergogne pendant que Fisher discourait. J'ai soutenu son regard tout en écoutant le colonel.

— Les négociations en vue de procéder à cette exhumation ont débuté presque immédiatement après que des accusations ont été portées à l'encontre d'un de nos soldats. Ce n'est que tout récemment qu'elles ont abouti. Par conséquent, j'entends que toutes les phases de cette opération se déroulent en douceur et sans heurt.

Apparemment, personne dans l'assistance n'a considéré que cette mise au point méritait un commentaire. Ou alors tout le monde savait que Fisher n'en accepterait pas.

— Pour commencer, la toile de fond, a-t-elle poursuivi en sortant des documents de l'un des classeurs. L'incident s'est produit dans le village de Sheyn Bagh, à douze kilomètres à l'est de la BOA Delaram.

— Base d'opérations avancée, a traduit Blanton à mon intention.

Les yeux de Fisher ont dévié vers lui pour revenir se poser sur sa page.

— L'accusé, John Gross, est sous-lieutenant dans les marines. À l'époque des faits, il était chef de peloton, le 3/8, du 6e RC.

Ne voulant pas interrompre l'oratrice, je me suis attachée à retenir ces termes, me réservant d'en obtenir la traduction plus tard.

— Nous savions par un indicateur que les insurgés entreposaient des armes dans ce village. La mission de Gross consistait en un « cerner-frapper ».

Cette expression-là, je la connaissais : boucler la zone et fouiller toutes les maisons.

— Vous trouverez là-dedans le dossier complet, a dit Fisher en faisant glisser vers moi le classeur du dessous. Je suppose que vous en avez un exemplaire, monsieur Blanton ? Lieutenant Noonan ?

Les deux ont répondu oui.

— Pour résumer, a repris Fisher en s'adressant à moi, le jour en question, un convoi de six véhicules a quitté la base de Delaram juste avant le coucher du soleil. En arrivant à Sheyn Bagh, le sous-lieutenant Gross a ordonné à ses hommes de faire sortir les villageois. Puis, tandis que les uns fouillaient les habitations à la recherche d'armes, les autres ont commencé l'interrogatoire. Au cours de l'opération, une roquette a explosé sur la route, en dehors du village, touchant sérieusement un Humvee et blessant deux hommes de Gross. S'en est suivi le chaos, selon plusieurs témoins.

Fisher lisait en diagonale, sélectionnant les points qui lui paraissaient importants.

— Au moment de l'explosion, le lieutenant Gross, conformément à ses déclarations, tenait en joue deux RL, des ressortissants locaux, identifiés antérieurement comme pouvant être des insurgés... Ahmad Ali Aqsaee et Abdul Khalik Rasekh, a précisé Fisher en se penchant sur sa page.

« Selon le sous-lieutenant Gross, a-t-elle poursuivi en se redressant, Aqsaee et Rasekh couraient vers lui d'un air menaçant et ne se sont pas arrêtés malgré son ordre, en anglais et en pachtou. Craignant pour sa vie, il a fait feu. »

— La version de Gross diffère nettement de celle rapportée par Eggers.

— Oui, lieutenant Noonan, et c'est justement pourquoi nous sommes ici.

Vexé, l'interpellé s'est laissé retomber contre son dossier, les lèvres serrées si fort qu'elles en avaient blanchi.

Fisher a recentré son attention sur moi.

— Selon le caporal Grant Eggers, Aqsaee et Rasekh ne tentaient d'agresser personne. Terrifiés par l'explosion, ils cherchaient seulement à s'éloigner de la route.

Une pause de quelques battements de cœur.

— On a les profils bio des victimes ? ai-je demandé en tapotant le dossier devant moi.

— Oui. Rasekh était nettement plus grand qu'Aqsaee. Et ils n'avaient pas le même âge.

— Combien d'années de différence ?

— M. Rasekh avait cinquante-deux ans.

Fisher a secoué la tête d'un petit mouvement étriqué.

— M. Aqsaee, dix-sept. Il a été tué le jour de son anniversaire.

Chapitre 19

Après avoir évoqué plusieurs points de logistique, Fisher nous a souhaité bonne chance et s'est retirée. Welsted a pris la relève.

— Je tiens à ce que nous respections les procédures d'exhumation, de transport et d'examen des restes dans leurs moindres détails. Pour peu que nous nous plantions une seule fois ou que nous sortions des limites qui nous sont imparties, les gens d'ici interdiront la poursuite du processus, ils en ont le droit. Et ils ne nous lâcheront pas des yeux.

— Un foutu cauchemar !

— Je comprends que cela vous déplaise, monsieur Blanton, mais tel est l'accord qui a été signé. Deux agents locaux tiendront le rôle d'observateurs.

Blanton a exhalé un bruyant soupir.

— On se retrouve demain, à zéro cinq cents dans la zone de rassemblement, l'équipe au complet. Le temps de vol jusqu'à Sheyn Bagh étant de deux heures, nous devrions atterrir là-bas avant zéro huit cents. En comptant une heure pour les salamalecs de rigueur avec le maire et les gros bonnets du coin, nous devrions être sur place au cimetière sur les coups de zéro neuf cents. Décollage à dix-sept cents. Quelqu'un a une objection ?

— Il est difficile de prévoir le temps que prendra l'exhumation alors que nous ignorons tout des conditions dans lesquelles nous devrons travailler, ai-je fait valoir.

— Vous avez huit heures.

Traduire : fin de la discussion.

— Ça me va, a déclaré Blanton. En ce qui me concerne, pas question de dormir en dehors des barbelés.

— Pendant les procédures d'exhumation et d'analyses, c'est au NCIS qu'il reviendra de décider de la stratégie à suivre, en accord avec le Dr Brennan. En cas de désaccord, a spécifié Welsted, les yeux fixés sur moi, c'est Blanton qui aura le dernier mot.

Bien que troublée par cette décision, j'ai indiqué d'un signe de tête que je la comprenais.

— Blanton supervisera l'exhumation proprement dite. Son équipe sera composée de deux marines de Delaram et de deux agents locaux.

— Comme s'il y avait une chance pour qu'Ali Baba et son copain sachent manier la truelle, a lâché Blanton sur un ton méprisant. Ils vont plutôt écrabouiller les indices avec leurs foutues sandales.

— La participation des gens d'ici est une condition *sine qua non*, a jeté Welsted qui commençait visiblement à perdre patience. Les Afghans ont insisté, le Pentagone a accepté.

— *Christ*.

J'ai regardé l'officier du NCIS, surprise de sa hargne à l'égard du peuple afghan.

Exprimait-il une aversion personnelle pour les habitants de ce pays, ou sa hargne venait-elle du fait que ceux-ci se montraient de plus en plus hostiles envers les nôtres ?

Je m'efforce toujours de faire preuve d'ouverture d'esprit, de juger chacun selon ses actes et ses mérites. Je n'ai d'*a priori* à l'encontre d'aucune croyance, orientation sexuelle ou couleur de peau. J'évite le piège des stéréotypes.

Pour autant, je n'ai aucune tolérance envers une foi qui ne se contente pas de dénier aux filles le droit d'étudier, mais ferme les yeux sur les mauvais traitements infligés aux femmes, quand elle ne les encourage pas. Aucune tolérance pour un dogme qui autorise les hommes à battre, mutiler ou même exécuter les membres de mon sexe.

C'est mon seul préjugé. J'ai la ferme conviction que l'arrogance et la cruauté des adeptes de cette religion découlent de l'ignorance, de la peur et d'un sentiment d'insécurité propre à la gent masculine.

— M. Blanton se chargera de tout ce qui a trait aux vidéos et aux photos, a poursuivi Welsted. Les villageois qui le souhaitent seront autorisés à observer le déroulement des opérations à une distance d'au moins dix mètres.

— On va leur servir de la crème glacée ? Ou chanter une petite chanson avec eux ? a lancé Blanton depuis le fond de son fauteuil où il était toujours affalé. Foutu cirque !

Welsted s'est tournée vers moi :

— Vous savez déjà de quel matériel vous aurez besoin ?

J'ai sorti une liste de mon sac à dos et la lui ai tendue. Welsted a parcouru l'assistance du regard.

— Des questions ?

J'en avais une.

— Où les analyses seront-elles effectuées ?

— Ici même, à l'hôpital de la base.

— Je pourrai faire des radios ? Il m'en faudra un grand nombre.

— C'est prévu.

J'avais une autre question.

— Pourquoi ne commençons-nous pas aujourd'hui ?

— C'est l'armée qui fournit le transport. Le Black Hawk n'est disponible que demain.

Blanton a voulu dire quelque chose. Welsted l'a coupé.

— Bonne journée, tout le monde.

Blanton s'est levé d'un bond et a quitté la salle.

J'ai récupéré mon sac à dos, ma veste, et lui ai emboîté le pas. En arrivant à la porte, je l'ai vu tourner au coin du bâtiment.

— Docteur Brennan ?

Je me suis retournée. Welsted, qui était sortie juste derrière moi :

— Vous avez des choses à faire, maintenant ?

— Juste un rendez-vous avec un dossier.

— Vous savez vous servir d'une arme ?

— J'ai tiré plusieurs fois à Quantico, mais…

— Je vais au stand de tir. Vous venez avec moi ?

— Je ne suis pas vraiment fanatique des armes à f…

— Une femme a besoin d'être entraînée, surtout là-bas.

Prenant mon silence pour une acceptation, Welsted m'a prise par le bras et dirigée vers la camionnette qui nous avait amenés. Pendant le trajet, elle a fait montre d'un enthousiasme inquiétant pour les armes à feu et d'une connaissance encyclopédique les concernant.

— Vous avez le M16, le Colt M4 carabine, le M27, un fusil d'assaut automatique. Les *snipers* ont une prédilection pour les M110 et les M40. Le M1014, un fusil à pompe semi-automatique, est utilisé par les armées britannique, australienne, malaisienne, slovène, et même par la police de Los Angeles. Un chouette fusil qui fait presque un mètre de long et pèse ses quatre kilos.

Welsted n'avait jamais vu d'arme qui ne lui plaise pas.

— Je m'en tiendrai aux armes de poing, ai-je dit.

— C'est plus utile en milieu urbain, si vous voyez ce que je veux dire, a réagi Welsted.

Assorti d'un clin d'œil pour appuyer son propos.

Le stand de tir se trouvait à l'extérieur, à la périphérie de la base. Au-delà des cibles, et de la palissade qui délimitait le camp, un désert de rochers et de sable s'étirait sur des kilomètres et des kilomètres. Au loin se dressait un village fortifié, petite bosse à peine distincte dans l'étendue infinie.

— Attendez-moi ici, je n'en ai pas pour longtemps, a déclaré Welsted, une fois dans l'enceinte du stand.

De fait, l'instant d'après elle était de retour avec une arme que je connaissais bien.

— Un Beretta M9. Semi-automatique. Portée : cinquante mètres. Chargeur amovible de 15 balles.

J'ai pris l'arme et me suis aussitôt rappelé ce que j'aimais en elle : sa taille et son poids, qui était parfaits pour moi. Son bel aspect. Sa prise agréable.

— Reuben va s'occuper de vous. On se retrouve dans une heure.

Welsted est partie vers un poste de tir situé à quatre cibles du mien.

Reuben, un grand bonhomme moustachu, peu bavard, m'a tendu des bouchons d'oreilles et des lunettes de protection. La cible mise en place, il m'a regardée tirer, puis m'a signalé plusieurs choses qui n'allaient pas dans ma prise et ma position. Après cela, je ne l'ai plus revu.

Une heure plus tard, je quittais les lieux, laissant derrière moi une silhouette humaine noire criblée d'impacts de balles.

Je retirais mes bouchons d'oreilles quand Welsted est réapparue, le visage rougi par la chaleur ou l'excitation.

— C'était bien ?

— Et comment ! ai-je répondu.

Reuben s'est matérialisé au moment où Welsted appelait la camionnette. En le remerciant, je lui ai rendu le Beretta et les lunettes de protection.

Nous n'avions pas fait dix mètres que Welsted commençait déjà à pianoter sur les touches de son mobile. La fin de sa conversation m'a fait comprendre qu'elle confirmait des dispositions prises pour le lendemain. La politesse n'était pas son fort.

J'ai vérifié mon iPhone.

— C'est un vrai bordel de discuter avec tous ces gens, a-t-elle lâché. Les coutumes varient d'une tribu à l'autre. Sur des petits détails, mais quand même. Ça vaut le coup de s'assurer que tout le monde est bien au diapason.

— Pour éviter les surprises, ai-je renchéri.

— Ouais, parce que, par ici, les surprises sont rarement bonnes.

Parlait-elle en général ou sur la base de souvenirs personnels ?

Après deux autres appels, elle s'est retournée et a désigné du pouce un bâtiment de l'autre côté de la vitre.

— Vous devez aller au Green Bean. Le café y est extra.

Si on oubliait les armes, les treillis et les panneaux indiquant que le salut n'était pas obligatoire, on aurait pu se croire sur un campus universitaire. Des hommes d'une jeunesse poignante buvaient dans des gobelets en carton à l'ombre d'une tonnelle.

Deux jeunes gens, leurs têtes se touchant presque, lisaient un magazine ou autre chose posé sur leurs genoux. Une femme écrivait, assise toute seule à une table de pique-nique. Ses cheveux bruns coupés court brillaient dans le soleil.

Ces soldats rentraient-ils de mission ? Étaient-ils au contraire sur le départ ? Les deux jeunes étaient-ils en train de choisir le film qu'ils iraient voir plus tard ? La femme envoyait-elle une carte postale à ses parents ?

D'ici un an, combien d'entre eux seraient encore vivants et entiers ?

Machinalement, j'ai commencé à chercher Katy du regard.

Et de nouveau un sentiment de culpabilité a surgi en moi.

— Un moka, ça vous tente ? a demandé Welsted.

— Je ferais mieux de regagner mes quartiers et de me plonger dans le dossier.

Et de jeter un coup d'œil à ma boîte de courriels…

— Comme vous voudrez.

De retour dans ma chambre, je me suis branchée sur Internet grâce au vieux PC poussiéreux. Pas un mot de Katy ni de Blanton. Pas de message vocal non plus.

Mais que se passait-il ?

12 heures 40 à ma montre.

Angoissée par l'inaction, inquiète pour ma fille, je me suis mise à arpenter ma chambre.

J'étais maintenant à Bagram depuis douze heures. Où était Katy ? Pourquoi Blanton ne l'avait-il pas localisée ?

Je tournais en rond comme un ours en cage.

Pourquoi n'avais-je pas abordé le sujet avec Welsted ?

Surtout que je savais dans quelle unité Katy servait.

Mais une voix minuscule me conseillait de m'abstenir.

Et pour une fois, je l'écoutais.

J'ai pris une bouteille d'eau dans l'armoire et poussé les magazines sur le côté de la table pour me faire un peu de place. Puis, ayant tiré le dossier Gross de mon sac à dos, j'en ai commencé la lecture.

Très vite, mes paupières ont pesé des tonnes. Impossible de me concentrer. Peut-être qu'un peu de nourriture et d'exercice requinquerait mes cellules grises. Je me suis rendue au réfectoire.

Retour à ma B-hut quarante minutes plus tard, l'estomac rempli d'une gigantesque salade. En voyant de loin un papier rose coincé dans le chambranle de la porte, mon pouls s'est accéléré. Katy ? Je me suis précipitée.

C'était bien elle.

Je n'en reviens pas que tu sois ici. C'est génial ! Je pars tout à l'heure avec mon unité. On se voit demain soir. Café Lighthouse, à 22 h. (Pas trop tard pour toi, vieille branche ?) Pas un mot sur mes cheveux.

Katy

Ouais !

Et c'est le cœur léger et débordant d'une énergie nouvelle que je me suis plongée dans le dossier.

Chapitre 20

J'ai commencé par éplucher le rapport post-incident du NCIS, en faisant abstraction de tout le bla-bla pour me concentrer sur les faits saillants.

L'opération de bouclage et de fouille menée à Sheyn Bagh avait abouti à un échange de tirs au cours duquel deux civils avaient été abattus. Le tireur était le sous-lieutenant John Gross. Gross avait transmis par radio son EDS au QG de sa compagnie. De retour à la base avancée de Delaram, il avait fait un rapport détaillé de l'incident à son commandant, le capitaine Wayne Hightower.

Petite pause pour me remémorer la signification de tous ces acronymes que j'avais appris à déchiffrer au cours d'une récente mission pour le JPAC. Par exemple, EDS : évaluation des dommages subis.

Hightower avait ordonné au sergent Werner Sharp d'interroger tous les protagonistes et de rédiger un rapport à l'intention du QG du bataillon. Les personnes interrogées s'accordaient à dire que le trajet jusqu'à Sheyn Bagh avait pris trente minutes. Le convoi, composé de cinq Humvee et d'un camion blindé de sept tonnes, était arrivé sur place au coucher du soleil. Deux des Humvee étaient équipés de mitrailleuses lourdes M2 de calibre 50. Le peloton était en état d'alerte, car des indicateurs avaient signalé la présence probable de caches d'armes et d'explosifs dans ce village réputé jusque-là comme non hostile.

Ledit village, adossé à une colline, était bordé sur trois côtés par un mur d'enceinte, percé dans sa partie centrale d'une ouverture à chaque extrémité, d'où partaient des sentiers permettant de rejoindre la route.

On se serait cru dans un roman de Ray Bradbury, à en juger par les photos jointes au dossier.

Retour au résumé des faits.

Au crépuscule, trois Humvee avaient pénétré dans l'enceinte. Les deux autres, restés à l'extérieur du village, s'étaient positionnés chacun près d'une ouverture, de part et d'autre du sept tonnes.

À l'intérieur de l'enceinte, les soldats des deuxième et troisième unités de combat faisaient sortir les habitants de leurs maisons en progressant de la périphérie vers le centre. À l'extérieur, les soldats de la première unité étaient déployés de façon à protéger les véhicules et à couvrir leurs frères d'armes qui frappaient aux portes.

Le lieutenant Gross, armé d'un M16 et d'un M9 Beretta, était resté devant le village pour commander l'opération et couvrir aussi son peloton. Il avait ordonné au caporal Grant Eggers, artilleur de la première unité, qui était armé d'une mitrailleuse légère, de rester également à l'extérieur du village.

Les soldats étaient entrés dans la maison la plus proche de l'ouverture devant laquelle se tenait le lieutenant. Les deux «AFG», sortis de chez eux, avaient reçu l'ordre de rester sur place.

La fouille de cette maison n'ayant rien donné, les soldats venaient de passer à la suivante, quand un projectile s'était abattu devant le village à quelques mètres d'un Humvee, blessant deux marines.

Un tir de «GPF», à en juger par le bruit de l'explosion.

Un feu nourri, tiré depuis la colline à l'arme automatique, avait alors arrosé le mur d'enceinte, soulevant des nuages de poussière. «Contact, en avant! Engagez le combat!» avait crié Gross, puis il avait hurlé aux mitrailleurs de balayer la colline. Ce qu'ils avaient fait. Eggers avait tiré plusieurs salves de sa M249. À un moment, il avait entendu sur sa droite crier : «Allah Akbar», puis le lieutenant ouvrir le feu. S'étant retourné, il avait vu les deux «RN» extraits de la première maison se recroqueviller sur eux-mêmes et chanceler. Ils se tenaient alors entre le lieutenant et la maison, de dos par rapport à l'endroit où le projectile avait atterri.

Pas de difficulté pour comprendre les abréviations. «AFG» signifiait «Afghans», «GPF» «grenade propulsée par fusée» et «RN» «ressortissants nationaux».

À l'instant où Eggers avait vu les Afghans, ils étaient à quinze ou vingt mètres du lieutenant et tournoyaient sur eux-mêmes sous l'impact des balles. Après, quand ils étaient tombés face contre terre, le lieutenant Gross avait éjecté le chargeur de son M16 pour le remplacer par un autre. Eggers s'était retourné face à la colline et avait tiré encore plusieurs salves, mais l'ennemi ne ripostait plus. Les artilleurs qui servaient la mitrailleuse avaient continué d'arroser la colline jusqu'à ce que Gross leur crie de cesser le feu. Et le calme était revenu.

Le lieutenant Gross avait ordonné à tout le monde de se replier dans les véhicules et s'était dirigé vers les marines blessés, accompagné de l'infirmier.

De son côté, Eggers était allé voir les «AFG» : morts tous les deux. Il les avait alors rapidement fouillés, et avait constaté qu'il n'y avait ni armes ni explosif sur eux ou à proximité.

L'infirmier avait déclaré que les marines blessés étaient dans un état stable, mais requéraient des soins médicaux. Étant donné qu'il était plus rapide de les rapatrier par la route plutôt que de les évacuer par hélicoptère sanitaire, le lieutenant Gross avait décidé d'interrompre la mission. Les blessés chargés dans le sept tonnes, le peloton avait repris la route de Delaram, laissant les Afghans morts au village aux bons soins de leurs compatriotes.

Ces quelques minutes avaient dû être un enfer.

Je me suis levée pour m'étirer, avant de me plonger dans l'évaluation des faits tels qu'ils étaient apparus au sergent Sharp. Voici, en gros, ce qu'il avait appris :

Seuls Gross et Eggers avaient été témoins de la mort des Afghans. Et encore, Eggers n'avait pas vu les premières secondes. Au départ, les deux hommes avaient été coopératifs et pas du tout menaçants. Seuls Gross et Eggers les avaient entendus crier. Gross prétendait que les Afghans se précipitaient sur lui, c'est pourquoi il avait tiré. Eggers n'avait pas tiré dans leur direction. Nul ne contestait le fait que ces hommes n'étaient pas armés.

Sharp avait accordé une attention particulière à la déclaration d'Eggers dont il avait fait un résumé détaillé :

Eggers était bouleversé. Il pensait que les deux AFG avaient été abattus dans le dos. Selon lui, ils ne couraient pas vers Gross, mais pour fuir le lieu où la GPF avait explosé. Par conséquent, pourquoi leur vider tout un chargeur dans le corps ? 30 cartouches ! Le feu ennemi venait de la colline. Eggers croyait avoir déjà vu le plus jeune des RN au cours de fouilles menées précédemment dans ce village. Un ado apparemment sympathique. Les villageois lui avaient dit que des brigands s'apprêtaient à infiltrer les lieux, tirer sur les patrouilles et disparaître. Eggers était sûr que les morts n'étaient pas des combattants.

La lecture de la déposition du commandant de la compagnie, Wayne Hightower, ne m'a rien appris de nouveau.

Un agent spécial du NCIS citait une phrase de Hightower disant qu'il n'avait pas l'intention de porter le chapeau pour le lieutenant Gross et qu'il allait faire un rapport complet à ses supérieurs.

De la déclaration du lieutenant-colonel Walter Roberts, commandant du bataillon, j'ai appris qu'il avait personnellement informé le colonel Craig Andrews, commandant du 6e RC. Ce même Roberts avait également retiré au lieutenant Gross le commandement de son peloton pour l'affecter à un poste d'intendance au bataillon de la compagnie, chargé des questions d'administration et de soutien. Roberts ajoutait en commentaire que l'affaire Gross possédait tous les attributs pour devenir une affaire d'État. Il recommandait de mener l'enquête «en suivant les consignes au pied de la lettre».

Une directive d'Andrews préconisait de renvoyer l'affaire Gross devant le bureau local du NCIS, aux fins d'enquête sur une éventuelle affaire criminelle.

Je me suis levée pour m'étirer encore et faire rouler mes épaules. Puis je suis passée à l'enquête du NCIS menée sur le théâtre des opérations.

Deux faits ont immédiatement retenu mon attention. Tout d'abord, la minceur du dossier pour un incident susceptible de déboucher sur une accusation de crime. Ensuite : le nom de l'agent spécial chargé de l'enquête, qui n'était pas Blanton. D'une certaine manière, cela m'a redonné confiance.

J'ai compris, à la lecture du dossier, pourquoi il était si mince : le temps que le NCIS organise une inspection du site, les corps étaient déjà enterrés et la scène, nettoyée, avait été piétinée par la population, qui avait repris ses activités normales. Autrement dit : il n'y avait plus rien à voir.

Un ancien du village avait apporté trente douilles de M16 et indiqué la zone où elles avaient été récupérées. Les enquêteurs avaient photographié l'endroit où la roquette était tombée, recueilli des fragments de métal provenant du Humvee, pris des photos au téléobjectif de la colline criblée de balles et récupéré dans la roche tendre une poignée de projectiles de calibre .50.

Les interprètes du NCIS avaient mené des interrogatoires, mais personne n'avait véritablement assisté à la fusillade, et le village tout entier racontait la même chose : les morts étaient des gens bien, il n'y avait pas d'insurgés parmi les habitants, pas d'explosifs ou d'armes dangereuses. Juste des fusils pour se protéger des brigands. Les insurgés avaient investi la colline, le temps de l'échauffourée, pour se retirer sitôt l'attaque achevée. Alors que les marines, eux, avaient tué un jeune du village, ce qui était très mal. L'autorisation d'exhumer les corps avait été refusée à plusieurs reprises.

En l'absence de corps et de témoins, on ne pouvait se référer qu'aux déclarations des membres du peloton de Gross et au rapport du NCIS rédigé après l'examen des lieux.

Il résultait de cette étude quelques points saillants. Premièrement, les faits rapportés par les deux témoins étaient contradictoires. Deuxièmement, les victimes avaient été abattues soit de face, soit de dos.

D'où l'importance d'analyser les corps.

Je me suis demandé ce que Gross pensait de cette prochaine exhumation, dont il avait été certainement informé.

Eggers n'avait aucun enjeu dans l'affaire. Cela expliquait peut-être que le colonel Andrews ait jugé ses déclarations comme étant suffisamment sérieuses et décidé d'inculper Gross pour assassinat et conduite indigne d'un officier.

C'est sûr que commettre un assassinat n'est pas digne d'un officier, me suis-je dit tout bas, avant de passer aux documents militaires listant les charges.

Dans le premier des deux formulaires 458 DD, l'accusé était identifié comme étant le sous-lieutenant John Gross, et les charges retenues contre lui comme étant les violations présumées des articles 118 et 133 du code de justice militaire.

Relativement à l'article 118, l'acte d'accusation stipulait que, «dans le village de Sheyn Bagh, province de Helmand, république d'Afghanistan, l'accusé avait tué sans raison un dénommé Ahmad Ali Aqsaee, ressortissant afghan, en tirant plusieurs fois sur lui à l'arme automatique M16». Suivaient la date et l'heure de l'incident.

Relativement à l'article 133, les charges stipulaient que l'accusé s'était conduit d'une façon indigne d'un officier en tirant sans raison sur ledit Ahmad Ali Aqsaee.

Le deuxième formulaire 458 reprenait ces mêmes charges, d'assassinat et de conduite indigne d'un officier, mais en référence à un dénommé Abdul Khalik Rasekh. Les deux formulaires étaient signés du colonel Andrews.

La chronologie montrait que le 6e RC était rentré à Camp Lejeune, en Caroline du Nord, base du second régiment des marines, après l'inculpation du sous-lieutenant Gross par le colonel Andrews.

À Camp Lejeune, le colonel Andrews avait confié au lieutenant-colonel Frank Keever la mission de mener les investigations au titre de l'article 32. Il avait désigné le commandant Christopher Nelson en tant que représentant du gouvernement et le commandant Joseph Hawthorn en tant qu'avocat de la défense.

Deux mois après le retour du 6e RC à Camp Lejeune, le lieutenant-colonel Keever avait ordonné la tenue d'une comparution au titre de l'article 32. Le dossier contenait le procès-verbal de l'audience.

Hawthorn y avait présenté une requête demandant le report de l'affaire après l'exhumation. Nelson avait objecté que l'autorisation d'exhumer ne serait probablement jamais délivrée. La question avait fait l'objet d'un débat au terme duquel Keever avait rejeté la requête.

Le premier témoin, produit par l'accusation, avait été Grant Eggers, désormais retiré de l'armée. Témoignage conforme aux déclarations qu'il avait faites précédemment à Sharp et aux rapports fournis par les agents spéciaux du NCIS.

Par curiosité, j'ai lu la partie du contre-interrogatoire d'Hawthorn concernant les raisons qui auraient pu pousser Eggers à accuser Gross.

> Hawthorn : Vous avez repris la vie civile, aujourd'hui ?
>
> Eggers : Oui, monsieur.
>
> Hawthorn : Est-ce parce que vous n'avez pas apprécié que le lieutenant Gross ait donné une médiocre évaluation de vos performances et vous ait déclaré qu'il s'opposerait à votre promotion au grade de sergent ?
>
> Eggers : Non, monsieur. Il m'a dit cela en effet, mais ce n'est pas la raison pour laquelle je ne me suis pas réengagé.

Hawthorn : Il vous a rétrogradé, n'est-ce pas ?

Eggers : Non, monsieur. Il m'a réaffecté de mon poste de chef d'équipe de tir au poste de servant artilleur, mais j'ai toujours conservé mon rang et ma solde.

Hawthorn : Parmi les membres de votre peloton, vous seul avez dit avoir vu les deux villageois être abattus dans le dos, n'est-ce pas ?

Eggers : Personne d'autre que moi n'était en position de le voir.

Hawthorn : Avez-vous vu le moment précis où les balles ont prétendument atteint ces hommes dans le dos ?

Eggers : C'est ainsi que la scène m'est apparue, monsieur. Quand je les ai vus, ils tournoyaient sur eux-mêmes sous l'impact des balles, et on avait l'impression qu'ils avaient été frappés dans le dos.

Hawthorn : Diriez-vous du lieutenant Gross que c'est un menteur ?

Eggers : En général, non. Mais il a beaucoup à perdre dans cette affaire.

Le deuxième témoin produit par le gouvernement était Donald Drew, l'un des agents spéciaux du NCIS qui avaient examiné les lieux et interrogé les marines. Son audition avait duré toute la journée, mais n'avait pas apporté grand-chose de neuf.

Le gouvernement avait conclu en présentant trois autres témoins, membres du peloton. Ils avaient confirmé l'échange de tirs intense et le sentiment de danger, mais ils avaient précisé que le feu venait de la colline et non pas des maisons.

Le gouvernement s'en était tenu là.

Le lendemain matin, le major Hawthorn avait annoncé à Keever avoir reçu un message l'informant de la décision afghane d'autoriser l'exhumation. Il avait donc présenté une requête de suspension d'audience en attendant les résultats de l'autopsie. Après un long débat, Keever avait autorisé un report maximal de soixante jours, étant entendu que l'audience reprendrait immédiatement si l'exhumation et l'autopsie s'achevaient plus tôt que prévu. Dans l'intervalle, Hawthorn était tenu d'informer régulièrement le tribunal des progrès de l'enquête.

Et Keever avait déclaré la suspension d'audience.

Le dernier document du dossier, une page écrite à la main, semblait avoir été arrachée à un journal intime.

Voilà qui était intéressant.

La date indiquée était écrite de la main même de l'auteur des faits.

15 juillet. 1142 HAF

Hier soir, je me suis foutu dans une sacrée merde. Embuscade au cours d'une opération de fouille. Pluie de feu. Arrosage habituel des moudj. Tirs au hasard, des tonnes de munitions en oubliant de viser.

En allant à Sheyn Bagh, nous ne savions pas à quoi nous attendre. C'est chaud, dans le coin, pour les patrouilles. Harcèlement et embuscades, utilisation d'explosifs de fabrication artisanale. D'après le renseignement, il y avait des armes et des explosifs stockés là-bas. Notre mission était de débarquer à l'improviste pour nous emparer du stock avant qu'ils l'utilisent contre nous.

On s'est donc déployés et on a commencé à fouiller l'endroit. Chez nous, la tension était extrême, mes gars étaient sur les nerfs. Les RN ne nous ont pas accueillis avec amour.

On avait déjà fouillé plusieurs maisons quand une roquette a explosé. Deux de mes gars ont crié qu'ils étaient touchés. Et des tirs ont commencé depuis le haut de la colline. Des kalachnikovs à coup sûr. J'ai ordonné à mes hommes de se mettre à couvert et de riposter.

Pendant un temps, ça a été le chaos total, des balles traçantes, des débris qui volaient dans tous les sens. BD chez nous : personne d'atteint par les tirs de kalachnikov, juste les deux BAC atteints par la roquette. Côté ennemi, ni EBAC ni EMAC. Deux victimes collatérales parmi la population. Tuées par nous. « Le tireur : votre serviteur. »

Un petit moment pour décrypter les acronymes. BD : bilan des dégâts. BAC et MAC, c'était facile : Blessé au combat, Mort au combat. Je présume qu'EBAC et EMAC se rapportaient aux pertes ennemies.

Je revois la scène chaque fois que je ferme les yeux. Deux moudj se précipitant sur moi en hurlant le nom d'Allah. Quelques secondes à peine pour réagir. J'ai pensé que ces cinglés étaient bardés d'explosifs et projetaient de se faire sauter. Vol direct pour le paradis.

Les snipers *sur la colline tiraient comme des fous, mais on avait la supériorité des armes. Ils ont craché leur sauce et ont disparu.*

Fuck… *La fouille des morts n'a rien donné. On pouvait pas le deviner. C'était le bordel. Ça tirait dans tous les sens. Une seconde pour décider. Pas difficile : ma vie contre la leur !*

Je continue à me rejouer tout ça en boucle. Qu'est-ce que j'ai vraiment entendu ? Qu'est-ce que j'ai vraiment vu ?

Des tirs. Des cris. Des aspirants martyres qui criaient le nom d'Allah. Deux RN dans leurs fripes fonçant sur moi. Merde. Une seule chose à faire : les jeter à terre.

Qui sait ce qu'ils voulaient faire, ces trous de cul ? Je leur ai dit de s'arrêter.

Ils ont continué droit sur moi. J'ai fait ce qu'il fallait pour qu'ils tombent par terre, ces salauds, et qu'ils y restent. J'ai vidé mon chargeur.

Quand le bazar a commencé, Eggers était à six heures par rapport à moi. Pourquoi est-ce qu'il n'a pas braqué son M-249 sur les deux gars qui me fonçaient dessus ? Faut pas s'étonner. Le gars, c'est pas une lumière.

Pendant que les moudj se tiraient de là, je suis allé voir avec le doc ceux de nos gars qui avaient été touchés. Ils avaient pris des éclats d'obus, mais étaient en état de supporter le transport. Avec le doc et une équipe d'artilleurs, on les a chargés dans le sept tonnes et on est repartis à fond la caisse pour Delaram.

Eggers raconte des histoires. Peu avant l'incident d'hier à Sheyn Bagh, j'ai été obligé de le rabaisser de son poste de chef d'équipe à simple artilleur. Il a voulu discuter, je lui ai dit que, de mon côté, c'était sans appel.

Combien d'avertissements ça lui prendra, à ce con-là, avant qu'un des gars de son équipe se fasse tuer ? Inspection merdique avant de partir en patrouille. Fouille et sécurisation des zones nulles à chier. Déploiement de son escadron à tort et à travers en cours d'action. Le gars est une vraie catastrophe ambulante.

Hier, il a prouvé que je ne me trompais pas sur lui. Son manque de réaction aurait pu me coûter la vie. Ces deux moudj auraient été des kamikazes, je rentrais chez moi dans une boîte.

C'est pas comme si j'avais voulu les éliminer. J'en vomis presque de l'avoir fait. Mais je les ai tués de bon droit. Ils constituaient clairement une menace pour moi.

Eggers est à côté de la plaque. Ne pense pas comme un marine. N'agit pas comme un marine. Les pertes civiles en cours de mission, c'est sûr que c'est la merde. Mais les dommages collatéraux, ça fait partie de la guerre.

Je ne fais pas confiance à Eggers, et lui, il ne peut pas me piffer.

Chapitre 21

Le Black Hawk MH-60 a décollé, décrit un virage très bas entre les falaises de schiste et de calcaire, et entamé son vol de cinq cents kilomètres en direction de Sheyn Bagh.

Cinq cents kilomètres… selon mon estimation. Welsted avait essayé de me renseigner, mais entre le souffle du vent sur l'habitacle et le ronflement des rotors, toute conversation était impossible. Et je ne suis pas douée pour lire sur les lèvres.

Il était tôt, juste un peu plus de six heures du matin. Pourtant j'avais hâte de passer à l'action après une nuit de cauchemars ininterrompus : Kathy m'appelant dans le noir, entre deux explosions d'obus, Birdie ronronnant au fond d'un puits insondable, et je ne sais combien d'autres scènes tout aussi bizarroïdes qui revenaient en boucle, interminablement.

Je m'étais habillée dans l'obscurité qui précède l'aube et j'avais filé m'octroyer un rapide petit-déjeuner. Après quoi, engoncée dans mon blindage corporel, j'avais retrouvé Blanton et Welsted au terrain d'aviation.

Le Black Hawk est une merveille d'ingénierie militaire. Quatorze millions de dollars d'acier et de polycarbonate à l'épreuve des balles, propulsés par deux énormes moteurs.

Nous partagions l'engin avec une demi-douzaine de soldats — visages stoïques, regards intenses —, et nous étions serrés comme des sardines dans une boîte. Welsted m'a révélé qu'ils allaient au nord de Sheyn Bagh pour réprimer des troubles. Elle n'en a pas dit davantage, et je n'ai pas insisté.

Le Black Hawk s'est élevé à une vitesse vertigineuse et a pris son cap. Le soleil est apparu au ras de l'horizon et la lumière éblouissante du jour nouveau a éclaboussé le désert. Le paysage était magnifique, comme peut l'être la toundra arctique. Une petite rivière serpentait tel un ruban noir dans l'étendue aride.

J'ai jeté un vague coup d'œil à Welsted, puis à Blanton. Ils éprouvaient visiblement une profonde aversion l'un envers l'autre. À peine croisaient-ils le regard qu'ils détournaient les yeux, tels des aimants de même polarité qui se seraient repoussés. Décidément, il y avait de l'électricité dans l'air entre ces deux-là.

La veille, j'avais perçu leur animosité mutuelle sans parvenir à en identifier l'origine. Seul un picotement insistant au niveau de la nuque me soufflait qu'ils ne pouvaient pas se sentir.

Était-ce lié à l'exhumation et à la façon d'y procéder ? À cette mission en village hostile, qui revenait à se jeter volontairement dans la gueule du loup ? S'agissait-il de quelque chose de plus personnel ?

Laisse tomber. Concentre-toi sur la tâche qui t'attend.

J'ai jeté un coup d'œil par la vitre latérale de l'appareil. Elle était striée de balafres laiteuses laissées par les ricochets des projectiles sur le matériau à l'épreuve des balles. J'ai scruté le terrain en dessous de nous en me demandant si quelqu'un nous tenait en joue.

Autre pensée que je me suis efforcée de chasser de mon esprit.

Bénéficiant d'un fort vent arrière, nous sommes arrivés à Delaram plus tôt que prévu. Il n'était même pas huit heures. Nous nous sommes posés dans des nuages de poussière jaune soulevés par les pales du Black Hawk. Blanton a débarqué le premier, suivi par les soldats. La tête rentrée dans les épaules, ils se sont hâtés de quitter le terrain et entassés dans un camion de transport de troupe qui a démarré aussitôt.

J'ai suivi Welsted. Le sable me criblait le visage, s'accumulait au coin de mes yeux.

— Ce carré de sable est la plus grande saloperie du monde ! a lâché Blanton avec un sourire torve en se précipitant vers un Humvee qui venait à notre rencontre.

Au volant, un marine couvert de poussière, un autre à la place du passager.

Welsted nous a précédés à bord du véhicule. Nous l'avons rejointe sur le siège arrière.

Le Humvee s'est engagé sur une piste d'une blancheur d'ivoire, comme si un million de défenses d'éléphants avaient été broyées sous les roues des convois militaires. Côté panorama, il n'y avait pas grand-chose à voir. Des dunes aux formes acérées, façonnées par le vent. Des arbres rabougris portant des fruits ratatinés. Sur un bas-côté de la piste, les restes calcinés d'une voiture à moitié enfouis dans le sable.

Le chauffeur était jeune. De l'âge de Katy, peut-être. Peut-être même pas. Il avait encore du duvet sur les joues. Son compagnon était à peine plus vieux.

Que pensaient leurs parents de l'affectation de leurs rejetons dans cet endroit ? Brusquement, une trappe s'est ouverte dans ma tête, et j'ai revu la victime du chauffard, avec sa barrette rose et son petit sac en forme de chat. La toute jeune fille qui dormait dans une housse mortuaire, à Charlotte.

Me sentant observée, j'ai tourné la tête vers la droite. Blanton avait les yeux rivés sur moi. Regard limite inamical derrière ses paupières étrécies. Calculateur ? Mais pour calculer quoi ? Le prochain coup de je ne sais quelle partie ? N'étions-nous pas tous dans le même bateau, Blanton, le NCIS, Welsted et moi-même ? En quoi nos buts auraient-ils différé ?

Sans doute en rien. Blanton nous avait clairement fait comprendre qu'il n'aimait pas sortir des zones balisées. Peut-être avait-il peur, tout simplement. Dieu sait que, moi non plus, je ne me sentais pas dans mon élément. Tout le monde était tendu à bloc. Pourtant, impossible de chasser de mon esprit la curieuse impression que m'avait fait son regard froid, évaluateur.

Nous nous sommes arrêtés à un poste de contrôle. À vrai dire, un malheureux cube en ciment. Deux soldats se morfondaient sur des chaises pliantes, dégoulinant déjà de sueur alors que le soleil venait à peine de se lever. L'un d'eux s'est approché au petit trot, les yeux protégés derrière des lunettes d'aviateur.

Welsted a présenté des documents. Le gars les a examinés et s'est penché pour regarder à l'intérieur du Humvee.

— NCIS ?

Welsted a indiqué Blanton d'un mouvement du menton.

— Anthropologue ?

Cette fois, c'est moi qui ai eu droit au mouvement de menton.

Les lunettes noires se sont attardées l'espace de trois secondes. Encore une marque d'hostilité ? Impossible à dire, les yeux du type étant invisibles. S'imaginait-il que j'étais là pour étayer les accusations contre le sous-lieutenant Gross ? Le désigner comme meurtrier ? Remonter la population contre l'armée d'occupation ? Lui compliquer la tâche, la rendre encore plus dangereuse ?

Il nous a fait signe de passer.

— On y est presque, a dit Welsted sans tourner la tête. Il n'y a pas grand-chose à voir. C'est un village typique de la région. Des troupeaux. Une agriculture primitive. En temps normal, la population ne manifesterait pas d'hostilité ouverte.

— Sauf que les circonstances ne sont pas normales.

— Non, monsieur Blanton. Loin de là.

Blanton a serré les dents. L'agressivité latente entre ces deux individus était-elle du même ordre que les rivalités territoriales dont j'étais témoin à Charlotte comme à Montréal ? L'armée de terre contre la marine ? L'armée contre la population civile ? Curieusement, cette pensée m'a rassérénée.

Personne n'a prononcé une parole pendant les cinq ou six minutes suivantes passées à tressauter sur la route truffée d'ornières. Et puis, tout en scrutant la brume de chaleur qui se levait à l'horizon, Welsted a repris :

— Je ne dirais pas que ces gens sont ignares, parce que ce n'est pas le cas et que ce serait potentiellement dangereux. Mais ils mènent une vie simple. Et de notre côté, nous mettons un point d'honneur à respecter leurs coutumes, tant qu'elles n'interfèrent pas avec nos objectifs.

— Qui sont… ? ai-je demandé.

— Objectif numéro un : protéger le monde libre. Objectif numéro deux, spécifique à cette mission : nous assurer de la bonne conduite du personnel des États-Unis dans la poursuite de l'objectif numéro un.

Après encore une dizaine de kilomètres de roulis et de tangage, Sheyn Bagh s'est dessiné au loin : un assemblage de constructions de pierre trapues, adossé au versant abrupt d'une protubérance rocheuse et protégé sur les trois autres côtés par un mur d'enceinte en pierre de faible hauteur.

Welsted avait raison. Du point de vue architectural, l'endroit n'avait rien de spectaculaire, à moins d'avoir des goûts minimalistes. Mais pour ce qui était du panorama, on se serait cru sur une autre planète.

Le côté sud de l'escarpement au pied duquel se trouvait Sheyn Bagh s'élevait presque à la verticale sur une soixantaine de mètres jusqu'à un plateau hérissé de blocs de roche aux formes bizarres. La falaise était composée de formations particulières, des sortes de pics qui ressemblaient à des biscuits doigts de dame de hauteurs différentes. Dans la lumière brumeuse du petit matin, on distinguait dans la roche des petits trous, un peu comme les alvéoles d'une ruche, qui sont devenus des portes, des fenêtres et des escaliers à mesure que nous nous en rapprochions.

J'allais poser une question à Welsted quand elle m'a expliqué :

— La moitié du village est creusée dans une roche qui est à la fois assez dure pour servir de fondation et assez tendre pour qu'on puisse forer des galeries à l'intérieur.

— C'est probablement dans un endroit comme celui-là que Ben Laden se terrait, est intervenu Blanton.

— Ces villes sont comme les icebergs, on n'en voit qu'une faible partie, a poursuivi Welsted en ignorant la remarque de l'agent du NCIS, selon sa bonne habitude.

Une ouverture dans le mur d'enceinte nous a permis de le franchir et de parvenir à une sorte de place centrale où nous nous sommes arrêtés. Une chèvre a bêlé, pointant la tête entre deux masures, et s'est avancée clopin-clopant vers le Humvee.

Le jeune marine assis à côté du chauffeur a sorti le canon de son arme par la fenêtre et, les doigts crispés sur la détente, a crié quelque chose dans une langue inconnue, en pachtou probablement. Un enfant de dix ou onze ans est accouru et a tiré la chèvre en arrière dans la ruelle d'où elle était sortie.

— Les bâtards foutent des explosifs dans le cul de leurs copains d'étable ! a expliqué Blanton d'une voix tendue.

Le soldat numéro deux a ouvert sa portière d'un coup d'épaule et il est descendu du véhicule. Welsted l'a imité.

Trois hommes se sont avancés vers nous. Ils portaient des vêtements de la couleur du désert, un keffieh à rayures sur la tête et des sandales poussiéreuses aux pieds.

L'un d'eux se distinguait par sa haute taille, un autre par un vilain grain de beauté au-dessus de sa barbe à trois pointes. Ils n'avaient que la peau sur les os, et leur visage grêlé était couturé de cicatrices. Impossible de leur donner un âge. On les aurait dit fossilisés.

— Je vais leur parler, a déclaré Welsted en passant de l'autre côté du Humvee.

Les hommes se sont arrêtés à deux mètres d'elle. Il y a eu un échange de salutations solennelles. Et pas un sourire.

En observant la scène, je n'ai pu m'empêcher de me poser toutes sortes de questions. Avais-je devant moi trois de ces détestables talibans ? De ces hommes qui battent les femmes, leur coupent le nez et les oreilles, sourds à leurs supplications ? Qui les mutilent et les traitent en parias quand elles ont été victimes de viol ? Des hommes qui détruisent les écoles pour empêcher les petites filles d'apprendre à lire et tuent les bénévoles des ONG venus les vacciner contre la polio ?

Ou n'étaient-ce que de pauvres bougres qui essayaient simplement de vivre de leur terre ? Qui se démenaient pour emmener paître leurs chèvres et élever leurs enfants ?

Pendant que Welsted s'entretenait avec le comité d'accueil, j'ai regardé autour de moi.

Les fenêtres muettes me rendaient leur regard vide. Mais l'était-il vraiment ? Ces ouvertures ne cachaient-elles pas des yeux qui suivaient attentivement chacun de nos mouvements ?

Une porte s'est ouverte sous la poussée d'un AK-47. Un vieux modèle, mais de toute évidence en état de marche. Un cale-porte mortel.

Çà et là, par petits groupes de deux ou trois, des hommes nous observaient d'un œil suspicieux. Les enfants restaient figés, oubliant de jouer. Il n'y avait pas une seule fille en vue.

Après un bref échange, les trois hommes se sont éloignés pour discuter entre eux, puis sont revenus auprès de Welsted. Le plus grand a pris la parole. Welsted lui a répondu. Le grand type a marqué une hésitation avant d'acquiescer d'un mouvement de tête.

Welsted est retournée au Humvee.

— Ils disent qu'il y a une certaine tension entre nos troupes et des gens d'ici. À la suite de l'incident. Il dit que l'exhumation doit être effectuée avec précaution et…

— Dignité, ai-je dit.

— Exactement.

— Dites-leur que je traiterai les corps avec le plus grand respect.

Welsted a traduit. Les hommes ont à nouveau tenu conciliabule. Cette fois encore, le plus grand a acquiescé.

— C'est pas bientôt fini, ce cirque ? a lâché Blanton.

Ses yeux passaient frénétiquement d'une maison à l'autre, d'une ruelle à l'autre, d'un visage curieux à un autre. Je voyais une grosse veine battre sur sa tempe.

Deux jeunes ont été appelés à la rescousse. Des ados aux longs bras noueux, avec trois poils au menton, portant chacun une pelle sur leur épaule osseuse. L'air à la fois sur leurs gardes et excités. Creuser dans un cimetière, acte interdit, blasphématoire, pourtant autorisé aujourd'hui.

Gardant les yeux rivés sur le plus grand des trois hommes, Blanton s'est adressé à Welsted.

— Assurez-vous que ce moudjahidin comprenne bien que je vais tout filmer. Je ne veux pas qu'il proteste sous prétexte que j'insulte les ancêtres ou que je vole leur âme.

Welsted a relayé l'information aux hommes. Le plus grand a répondu, et Welsted a traduit :

— Interdiction de filmer les femmes.

— Je peux dire adieu à ma couverture pour *Cosmopolitan*, a ironisé Blanton, puis il a craché dans la poussière. Allez, dites-leur de se magner le cul !

— Changez d'attitude, monsieur Blanton ! a réagi Welsted sur un ton mordant.

Nous avons rassemblé l'équipement. Appareil de prise de vue pour Blanton, pelle et autre matériel pour moi. Welsted s'est chargée des tamis. L'homme de grande taille a désigné la ruelle d'où était sortie la chèvre. Le chauffeur du Humvee a pris la tête de la colonne, son compagnon a fermé la marche. Tous les deux sur le qui-vive, comme des chevreuils en terrain découvert. Direction : la sortie du village, côté ouest.

Nous avons avancé en file indienne, sous le poids de regards invisibles. Aucun son alentour. Juste le bruit de nos pas sur le sol et le tintement d'un carillon, quelque part au loin.

Le cimetière se trouvait en dehors du village, à quelques centaines de mètres du mur d'enceinte, au pied de la falaise qui dominait le site de toute sa hauteur et le protégeait de son ombre comme une mini forteresse.

Rien à voir avec nos vieux cimetières américains. Des tombes modestes, dénuées d'ornements ou de statuaire. Certaines simplement signalées par une pierre identique à celles utilisées pour ériger le mur, la plupart entourées de cailloux disposés de manière à former plus ou moins un ovale. D'autres encore, peu nombreuses, étaient indiquées par un monticule.

Morts récents ou de longue date, leurs tombes s'alignaient comme les sillons d'un champ. Sauf qu'ici, le sol ne recelait pas des graines mais des ossements.

En silence, nous nous sommes dirigés vers les tombes des deux villageois décédés au cours de l'attaque. Aqsaee était enterré juste à l'entrée du cimetière. Rasekh beaucoup plus loin, juste au pied de la falaise, de sorte que l'ovale de pierres était un peu incliné.

Welsted m'a regardée. Je lui ai dit que nous allions commencer par Rasekh. Sans aucune raison, si ce n'est que nous étions devant sa tombe.

Les marines ont pris position auprès de l'entrée du cimetière, prêts à bondir, l'œil aux aguets. Tellement tendus que je n'aurais su dire si leur vigilance n'augmentait pas mon inquiétude au lieu de me rassurer.

Laissant Blanton immortaliser la scène en photos et en vidéo, tandis que les deux garçons afghans enlevaient les pierres délimitant la tombe de Rasekh, j'ai sondé la densité du sol à l'aide d'une longue tige en métal afin de déterminer la configuration de la tombe.

Et puis, selon les brèves instructions de Welsted, les garçons, solidement ancrés sur leurs jambes, ont entrepris d'enfoncer leurs pelles dans le sol pierreux du désert, actionnant leurs bras en cadence.

Accroupie au bord de la tranchée de plus en plus profonde, je me suis concentrée sur la couleur de la terre.

Son changement indiquerait que l'on se rapprochait d'un corps en décomposition.

Pendant une demi-heure, on n'a plus entendu que le bruit des pelles en train de creuser et le sifflement du sable déplacé qui retombait sur le monticule de plus en plus haut, de l'autre côté de la tranchée.

Massés le long du mur du cimetière, les villageois nous observaient dans un silence morne. De temps à autre je relevais les yeux sur eux. Ils étaient trop loin pour qu'on puisse distinguer leur expression, mais il était clair qu'ils n'en perdaient pas une miette.

Une heure a passé. Puis encore une demi-heure. Le soleil montait dans le ciel, et avec lui la température. Après une troisième série de photos, Blanton s'est écarté du groupe pour aller fumer. Un vieil homme s'est approché de lui, la main tendue. Blanton a secoué son paquet de cigarettes pour en faire sortir une et l'a déposée dans la paume offerte.

Enfin, j'ai aperçu le suaire révélateur.

— Stop !...

Les garçons ont cessé de creuser. Ils se sont redressés, se sont regardés, puis m'ont regardée.

— Dites-leur de reculer un peu, s'il vous plaît, ai-je demandé à Welsted.

Les garçons ont obéi.

Le trou faisait près d'un mètre de profondeur. Au fond, une masse ovale, plus sombre, émergeait du sol brun-jaune. En dépassait quelque chose qui ressemblait à du tissu.

Un bruit de pas m'est parvenu, puis une ombre est passée sur la tombe.

— Vous avez retrouvé un de nos bonshommes ? a lancé Blanton.

Sans répondre, je me suis couchée à plat ventre. Les yeux fermés, j'ai inspiré profondément par le nez.

L'odeur de chair décomposée est caractéristique. Douce et fétide, comme des détritus pourrissant dans une poubelle.

En l'occurrence je ne sentais que l'odeur de la terre et peut-être aussi une très légère putréfaction. Ou le corps s'était momifié, ou il était complètement réduit à l'état de squelette.

Une ombre a rejoint celle de Blanton.

Welsted.

— Vous voulez un coup de main ?

— Vous pouvez m'apporter la brosse et la truelle qui sont dans mon sac, s'il vous plaît ?

Moins d'une minute plus tard, elle était de retour.

— Qu'est-ce que vous avez trouvé ?

— Probablement le linceul.

— Je vais chercher la housse mortuaire ?

— Oui.

En raclant à la truelle la terre autour du tissu et en dessous, j'ai fait apparaître peu à peu les contours irréguliers de ce qu'il renfermait. Après l'avoir suffisamment dégagé, j'ai délicatement soulevé le bord.

Le contenu était exactement conforme à ce que je pensais trouver. J'ai reconnu une clavicule, une omoplate, et le cuir sombre des tissus ligamentaires.

Par signes, j'ai indiqué aux garçons qu'ils allaient devoir maintenant procéder à la truelle, et je leur ai montré comment s'y prendre.

Une heure plus tard, les ossements de Rasekh, enveloppés dans leur linceul, reposaient sur le sol du cimetière.

À genoux, je remontais la glissière de la housse mortuaire quand j'ai entendu un bruit dans le lointain. Une sorte de bourdonnement, semblable à celui d'une abeille ivre de soleil. J'ai levé les yeux. Observé le ciel. Rien.

Pourtant le bourdonnement se rapprochait. Rejoint par un bruit de pas heurtant le sol.

J'ai regardé autour de moi.

À l'autre bout du cimetière, Blanton ouvrait des yeux énormes dans un visage très blanc. Les villageois avaient quitté leur poste d'observation derrière le mur. Welsted, près du Humvee, scrutait le ciel. Tout comme les marines. Mon équipe de fouille s'était dissoute.

Le cerveau humain est un commutateur qui opère à deux niveaux. Tandis que mon cortex traitait les faits, mon hypothalamus faisait déjà circuler l'adrénaline à fond.

Le bourdonnement s'est mué en gémissement. Plus proche. Plus fort. Les petits poils à l'intérieur de mes oreilles se sont mis à vibrer désagréablement.

— Couchez-vous ! a hurlé le marine numéro deux. *Tout de suite !*

Je me suis roulée en boule, les bras levés au-dessus de ma tête.

Et le monde a explosé.

Chapitre 22

J'ai ouvert les yeux.

Le noir complet.

J'ai tendu l'oreille.

Le silence absolu.

Instinctivement, j'ai porté la main à ma bouche pour créer une poche d'air. Grâce à mon casque, une petite bulle d'espace s'était formée, hélas insuffisante. J'avais la poitrine comprimée, les poumons tellement aplatis qu'ils ne pouvaient plus se gonfler, et le lourd gilet pare-balles ne faisait qu'aggraver la pression.

J'ai tenté de respirer. Impossible.

Essayé à nouveau. Pas d'air.

La panique m'a saisie.

Combien de temps pouvait-on survivre sans oxygène ? Trois minutes ? Cinq ?

Combien de temps étais-je restée piégée ?

Aucune idée.

J'ai essayé à nouveau d'inspirer. Nouvel échec.

Mon cœur cognait contre mes côtes. Pompait un sang qui perdait rapidement le peu d'oxygène qu'il recelait encore.

J'ai tenté d'écarter la main de ma bouche. Rencontré une résistance, à quelques millimètres seulement.

Mon autre bras était engourdi. Je n'avais pas la moindre idée de sa position. De celle de mes jambes.

Une sorte de vertige a envahi mon cerveau. Vision de la falaise. Des doigts de dame.

Des roches qui m'emprisonnaient maintenant comme à l'intérieur d'un cercueil.

Combien de mètres ? Combien de tonnes ?

Ma panique allait croissant. Nouvelle décharge d'adrénaline.

Respire !

J'ai raidi le cou et les épaules, penché la tête en avant, le plus loin possible, et l'ai renvoyée en arrière.

Mon crâne a heurté la roche. Une douleur m'a traversé le cerveau.

Mais le résultat était là : le sable s'est mis à ruisseler avec un doux sifflement et la pression sur ma poitrine a diminué.

J'ai inspiré lentement. L'air poussiéreux déposait une croûte sur ma langue et dans le fond de ma gorge. Mes poumons ont explosé en une quinte de toux rauque.

Nouvelle inspiration ; nouvelle quinte.

Le vertige a passé. Mes pensées ont commencé à s'organiser en schémas cohérents.

Appeler ? Mais dans quelle direction ? Je ne savais même pas dans quelle position je me trouvais par rapport au sol.

Y avait-il quelqu'un près de moi ? Quelqu'un de vivant, qui pourrait me libérer ? Mes compagnons avaient-ils été ensevelis, eux aussi ?

J'ai battu des paupières pour chasser le sable que j'avais dans les yeux. Tout autour, ce n'était que ténèbres et silence absolu. Pas un son, pas une voix. Pas un bruit de pelle. Aucun mouvement.

La panique, encore.

Réfléchis. Oublie l'éboulement. La poussière. Le silence assourdissant.

J'ai essayé de rouler sur le flanc gauche. Ma jambe droite était bloquée et une pique me rentrait dans le mollet.

J'ai tenté de fléchir le genou. Eu aussitôt l'impression qu'une pointe de feu remontait le long de ma cheville.

Et si je me penchais sur la droite ? Impossible. J'avais l'épaule plaquée contre la roche. La roche qui

surplombait le cimetière, une minute auparavant. Cette falaise au pied de laquelle j'étais à présent ensevelie, comme le mort exhumé tout à l'heure.

Réfléchis.

Je me suis forcée au calme. Obligée à respirer régulièrement. J'ai contraint mon blindage pare-balles à se soulever et à s'abaisser.

Inspirer. Expirer. Inspirer. Expirer.

J'aurais voulu crier, mais j'avais la bouche trop sèche. J'ai fait de mon mieux pour produire un peu de salive.

Ma voix m'a fait l'impression d'être étouffée, assourdie. Où était le haut ? Où était le bas ? Est-ce que je criais vers le ciel ou vers la terre ?

Mes pensées s'embrumaient à nouveau. Manque d'oxygène ? Intoxication au dioxyde de carbone ? Avant, j'aurais su répondre. Plus maintenant.

Les questions se bousculaient dans ma tête.

Un obus de mortier ? Un missile sol-sol ? Lancé par qui ?

Après tout, quelle importance ?

Blanton et Welsted avaient-ils été ensevelis, eux aussi ? Et les deux jeunes Afghans réquisitionnés pour creuser ?

J'ai refermé les yeux. Je n'entendais que le doux glissement du sable qui s'insinuait dans les failles.

Pourquoi n'entendais-je personne sonder ? Creuser ? Crier ? Les villageois nous avaient-ils abandonnés ? Laissant aux nôtres le soin de nous retrouver — ou pas ?

Allais-je mourir ? D'hypothermie ? Asphyxiée ? Combien de temps cela prendrait-il ?

À la pensée de la mort, une horrible tristesse s'est emparée de moi. Périr ici, si loin de chez moi, si loin des gens que j'aimais. Katy. Harry. Pete. Ryan. Oui, même Ryan.

Une larme s'est frayé un chemin le long de ma joue puis est tombée sur ma main.

Mon cerveau désorienté a quand même su en déduire une information capitale.

Concernant la gravité.

J'étais allongée sur le côté droit. Le centre de la terre était sous moi. Le monde des vivants, la falaise et le ciel se trouvaient quelque part au-dessus de mon épaule gauche.

J'ai pris une inspiration et commencé à tester jusqu'où pouvait aller ma main gauche.

Ne faisant qu'effleurer les choses du bout des doigts, délicatement, comme s'il s'agissait des baguettes d'un jeu de mikado. Sachant que seules la gravité et la pression les maintenaient en place.

Et que toute modification de leur équilibre risquait de provoquer une nouvelle avalanche.

Il était probable qu'en s'éboulant la roche ne s'était pas tassée de façon assez compacte pour interdire toute arrivée d'air. Mais de quelle quantité d'air disposais-je ?

Et à quelle profondeur étais-je enterrée ? Dans combien de temps les secours allaient-ils arriver ? Surtout, que trouveraient-ils ? Une Tempe vivante ou son cadavre ?

Là, j'ai perdu conscience.

Et puis je me suis réveillée. Des bruits me parvenaient. Liquides. Indistincts.

Des voix ?

Je me suis figée.

Oui, des voix humaines. Stridentes, affolées.

Prise d'euphorie, galvanisée par l'énergie du désespoir, j'ai réussi à bouger ma main gauche et à tâter les recoins les plus éloignés du petit espace devant mon visage. Mes doigts se sont refermés sur une pierre grosse comme mon poing. Le cœur battant à se rompre, j'ai réussi à lui faire décrire un arc dans le peu de place dont je disposais et à frapper la roche au-dessus de ma tête.

Comment exprimait-on SOS en morse ?

Bon sang, qu'est-ce qu'on en avait à foutre ?

Je me suis mise à marteler la roche à tout petits coups, mue par l'espoir insensé d'être entendue du monde extérieur.

Les cris s'intensifiaient. Se rapprochaient. On lançait des ordres sur un rythme saccadé. Des réponses fusaient, suivies de raclements et de chocs sourds.

— Doucement ! ai-je crié, ou murmuré. Je vais bien, mais faites attention.

Les bruits se sont poursuivis, et soudain des rais de lumière me sont parvenus de partout à la fois, créant un kaléidoscope de poussière étincelante en suspens dans l'air.

Enfin, une roche s'est soulevée et la clarté du soleil s'est déversée sur moi dans sa glorieuse crudité. J'ai cligné des yeux, aveuglée.

Le visage de Blanton planait au-dessus de moi, la peau rougie, couleur de jambon bouilli.

— Cramponnez-vous. On va vous sortir de là en un rien de temps.

J'ai juste réussi à sourire.

Trois heures plus tard, nous repartions pour Delaram, les corps d'Aqsaee et de Rasekh dans des housses mortuaires, à l'arrière du véhicule.

Quand l'obus de mortier s'était abattu sur le cimetière, les deux marines se trouvaient derrière le Humvee. Avec Welsted. Ils n'avaient pas été blessés, juste égratignés par des éclats qui avaient volé en tous sens.

Par un caprice du destin, Blanton avait eu la vie sauve grâce à sa dépendance à la nicotine, qui l'avait poussé à s'éloigner de la zone d'impact. Quant aux deux jeunes qui creusaient, habitués à la guerre, ils avaient pris leurs jambes à leur cou dès qu'ils avaient entendu le projectile fondre sur eux.

En d'autres termes, n'ayant aucune expérience de la situation, j'avais été la seule à être assez bête pour me trouver au mauvais endroit, au mauvais moment. Et comme de plus j'étais à genoux, je n'avais pas réagi avec la vitesse nécessaire.

L'impact m'avait projetée dans la tombe. Les débris qui étaient retombés sur moi n'avaient pas formé une